DIEU SOUFFRE-T-IL ?

Jean Galot

DIEU
SOUFFRE-T-IL ?

ÉDITIONS P. LETHIELLEUX

DU MEME AUTEUR

Le mystère de l'Espérance.

Mission et ministère de la femme.

© Dessain et Tolra, Paris 1976.
ISBN 2 249 60108 9

INTRODUCTION

Dieu souffre-t-il ? Certains sont tentés de répondre immédiatement non à cette question, en vertu des principes philosophiques et théologiques les plus fondamentaux. La perfection infinie de Dieu implique l'immutabilité, qui exclut les variations de sentiments et de dispositions intimes, et ne permet pas un passage de la joie à la souffrance ni de la tristesse au bonheur. De plus, elle comporte l'impassibilité, étant donné que le Tout-puissant ne peut dépendre d'autrui ni en recevoir dommage ou douleur. Il semble qu'attribuer la souffrance à Dieu, ce serait le rabaisser au niveau de la mutabilité et de la vulnérabilité des créatures, lui enlever le domaine absolu qu'il possède sur toutes choses, pour en faire un être fragile, exposé aux coups.

Cependant, la réponse est-elle si évidente ? J. Maritain, vers la fin de sa vie, a observé qu'il y avait là un « immense problème que les théologiens se sont appliqués à écarter plus qu'à scruter »[1]. En « vieux

1. *Quelques réflexions sur le savoir théologique*, RT 77 (1969) 24.

philosophe », il s'est adressé aux théologiens pour leur proposer de ne pas abandonner à la poésie mais d'intégrer à la théologie le mystère de la réalité qui en Dieu correspond à ce que la douleur est en nous, et d'explorer ainsi un domaine « sur lequel la tyrannie des mots a trop longtemps jeté l'interdit »[2].

Il n'y a pas que la tyrannie des mots : la raideur de certains concepts appliqués à Dieu a constitué jusqu'à présent un obstacle radical à un sérieux examen de la question. Le simple fait de poser le problème semblait aux yeux de beaucoup une atteinte à la vénération due à la transcendance divine.

Or, en réalité, cette transcendance elle-même nous invite à beaucoup d'humilité intellectuelle. Tout en reconnaissant qu'en Dieu il y a immutabilité et impassibilité, nous sommes contraints d'avouer qu'il nous est difficile de préciser le sens et la portée de ces attributs. Nous ne disposons pas d'une évidence qui nous permette de repousser sans examen le problème de la présence d'une certaine analogie de la souffrance dans la vie si riche de la divinité.

Dans la théologie récente, le problème est posé de plus en plus avec le souci de soumettre à une nouvelle critique les principes qui auparavant prohibaient toute investigation approfondie en ce domaine ; loin de le regarder comme un problème secondaire, on y reconnaît une question fondamentale pour la doctrine de Dieu et de l'économie du salut[3].

---

2. *Ibid.*, 26.
3. Cf. K. KITAMORI, *Theology of the Pain of God*, Richmond 1965 (traduction de l'original japonais *Kami no itami no shingaku*, Tokyo 1958) ; H. MUEHLEN, *Die Veränderlichkeit Gottes als Horizont einer zukünftigen Christologie. Auf dem Weg zu*

Ce problème sera abordé ici, non du point de vue philosophique de la possibilité abstraite d'une douleur de Dieu, mais selon les indications positives de la Révélation : dans le visage concret du Dieu qui se révèle, découvre-t-on certains traits douloureux, et comment faut-il les comprendre ? Comment les concilier avec les autres traits du visage divin, sans chercher à les éliminer ni les condamner comme des anthropomorphismes sans consistance réelle ? Il s'agit avant tout de respecter le mystère d'une perfection infinie, que nous ne pouvons vouloir borner a priori par certaines notions humaines de la perfection, et qu'il importe plutôt de scruter avec le maximum d'ouverture.

einer Kreuzestheologie in Auseinandersetzung mit der altkirchlichen Christologie, Münster 1969 ; H. KUENG, *Incarnation de Dieu*, Bruges 1973, 640-648 ; J. MOLTMANN, *Der gekreuzigte Gott*, München 1972.

I

LA PASSION D'UN DIEU

Un fait s'impose en premier lieu : au centre de la Révélation se trouve non la démonstration de la présence impassible de Dieu, mais la Passion du Fils de Dieu incarné. C'est par cette Passion que nous sommes introduits dans les profondeurs du mystère divin.

A. Deux affirmations essentielles de la tradition patristique

La théologie des premiers siècles n'a pas seulement essayé de comprendre le sens de la Passion du Christ. Elle a affirmé la Passion d'un Dieu en deux formules suggestives : « Dieu a souffert », « Un de la Trinité a souffert ».

1. « DIEU A SOUFFERT »

a) *Une affirmation bouleversante et controversée*

L'affirmation « Dieu a souffert » est très ancienne. Elle ne se trouve pas telle quelle dans l'Ecriture, mais elle en est très proche, parce qu'elle réunit deux vérités essentielles dont l'Evangile porte le témoignage : Jésus a souffert, et il est Dieu le Fils. Elle a été employée pour mettre en lumière l'unité personnelle du Christ : celui qui est personnellement Dieu est celui qui a souffert.

Ainsi Ignace d'Antioche écrit aux chrétiens de Rome : « Permettez-moi d'être un imitateur de la passion de mon Dieu »[1]. Irénée souligne, contre les gnostiques qui distinguent deux sujets dans le Christ, que l'Evangile reconnaît dans le Fils de Dieu celui-là même qui a souffert et est ressuscité[2]. La tradition latine s'oriente très tôt dans le même sens[3]. En polémiquant contre Marcion, Tertullien écrit : « Y aura-t-il tant de sottise à croire en un Dieu qui est né, même d'une Vierge, même charnel, et qui est passé par ces humiliations de la nature[4] » ? « Dis donc que c'est sagesse, qu'un Dieu crucifié »[5]. « Le Fils de Dieu a été crucifié ; ce n'est pas une honte, parce qu'il faut en avoir honte. Et le Fils de Dieu est mort ; c'est croyable, parce que

1. *Rom.* 6 ; éd. J.B. LIGHTFOOT, II, 220.
2. *Hér.* 3, 16, 5 ; éd. F. SAGNARD, SC 34, 288, 23-24.
3. Cf. R. FAVRE, *La communication des idiomes dans l'ancienne tradition latine*, Bulletin de littérature ecclésiastique 1936, 130-145.
4. *De carne Christi*, 4, 6 ; CCL 2 (éd. E. KROYMANN) 879, 45-47.
5. *Ibid.*, 5, 1 ; CCL 2, 880, 2-3.

c'est inepte. Et enseveli, il est ressuscité ; c'est certain, parce que c'est impossible » [6]. Par là est soulignée la transcendance de la sagesse divine, qui confond les vues de la sagesse humaine.

C'est la Passion qui mesure la grandeur de l'Incarnation. Deux affirmations ont été employées dans la tradition patristique pour définir les dimensions extrêmes du mystère : un Dieu est né de la Vierge Marie, et celle-ci mérite le nom de *Theotokos*, mère de Dieu ; un Dieu a souffert et est mort. De ces deux affirmations, la seconde représente la pointe extrême de la démarche divine. Naître d'une femme marque déjà la distance franchie par Dieu ; souffrir jusqu'à la mort manifeste une étape ultérieure dans la profondeur de l'abaissement.

C'est devant ces deux affirmations qu'a reculé, à la fin du IVe siècle et au Ve, la théologie antiochienne [7]. Théodore de Mopsueste affirme que dans l'épreuve de la mort, ce ne fut pas le Dieu Verbe qui fut éprouvé, mais l'homme assumé auprès duquel était ce Dieu Verbe [8]. Théodoret pose la question au sujet de l'évocation de la Passion par la lettre aux Hébreux (5, 8) : « Qui est celui qui a appris l'obéissance par ses souffrances... ? » Et il répond : « Ce n'est pas le Dieu Verbe, le Parfait, celui qui... n'apprend rien par l'expérience,... et que nulle douleur ne peut forcer à pleurer... Reste donc que tout cela soit propre à l'hu-

---

6. *Ibid.*, 5, 4 ; CCL 2, 881, 26-29.
7. Cf. à ce sujet E. AMANN, *Théopaschite (controverse)*, DTC 15, 505-512 ; J. CHENE, *Unus de Trinitate passus est*, RSR, 53 (1965) 545-588.
8. *Homélies catéchétiques*, ch. 8, n. 9 ; éd. R. TONNEAU-R. DEVREESSE, *Studi e Testi* 145, Rome 1949, 199.

manité assumée »[9]. Avec plus d'éloquence encore, il s'exclame dans un sermon prononcé en 431 : « Nous, nous irons croire que l'Invisible, l'Incréé, l'Insaisissable, l'Incompréhensible est susceptible de souffrir ! Qu'il n'en soit rien, notre Sauveur et Bienfaiteur ! Qu'il ne nous arrive pas de renoncer ainsi à t'adorer, de méconnaître à ce point ta nature, de faire la preuve d'une telle ignorance de tes dons ! N'imaginons pas passible notre Libérateur, lui qui nous conduit des passions à l'impassibilité, et qui a accordé à ceux qui sont passibles la grâce de l'impassibilité »[10].

La position de Nestorius est mieux connue encore, par la tempête qu'elle a provoquée dans l'Eglise d'Orient. Le patriarche de Constantinople admettait que l'homme Jésus était né de la Vierge Marie et qu'il avait souffert sur la croix ; mais il repoussait le titre de « mère de Dieu » et niait que Dieu soit né de Marie ; il ne pouvait pas davantage accepter la formule : « Dieu a souffert »[11]. Il estimait impossible d'attribuer au Fils de Dieu les propriétés de la chair, la naissance, la souffrance, la mort. Il ne refusait pas cependant tout lien de « familiarité » (*oikeiôsis*), d'appropriation entre la Passion et le Verbe. Mais il écartait le genre de familiarité qui signifie une participation naturelle aux passions, comme c'est le cas de l'âme et du corps, et qui obligerait à dire que la passion de la chair a été passion du Verbe. La seule familiarité admissible en ce domaine, pensait-il, est

---

9. *De l'Incarnation du Seigneur*, 21 ; PG 75, 1457 CD.
10. E. SCHWARTZ, ACO, 1, 1, Par. 74, n. 71, p. 83, 1. 35-39.
11. Cf. J. LIEBAERT, *L'Incarnation I. Des origines au concile de Chalcédoine*, Paris 1966, 191-194 ; A. GRILLMEIER, *Christ in Christian Tradition*, London 1965, 374-379.

« celle qui se produit selon une disposition affec-
tueuse, impassiblement, envers quelque chose, en
raison de quelque attachement : tel celui que les rois
ont à l'égard de leurs propres images »[12]. En ce sens,
« si nous rapportons à Dieu le Verbe l'humiliation de
la chair sur la croix comme si c'était une image du
roi, il nous reste à dire que l'humiliation de la chair
est de la divinité par une disposition volontaire, et
ceci est vrai... »[13]

Cette manière d'envisager l'appropriation indique
bien la difficulté. Ce qui répugnait à Nestorius, c'était
la passion du Verbe. Il était prêt à reconnaître que
le Verbe avait volontairement considéré l'humiliation
de la chair sur la croix comme lui étant propre, tout
en étant lui-même demeuré impassible dans cet acte
de volonté. Il voulait sauvegarder la souveraineté de
l'impassibilité divine.

Lorsque le concile d'Ephèse, en 431, a condamné
son opinion, il a confirmé et explicité ce qui avait été
déjà défini par le concile de Nicée, en 325 : Jésus-
Christ, le Fils de Dieu, consubstantiel au Père, est
celui qui pour nous hommes et pour notre salut est
descendu et s'est incarné, est devenu homme, a souffert, et est ressuscité le troisième jour[14]. Le concile
d'Ephèse a surtout mis en avant la légitimité du titre
de « mère de Dieu » appliqué à Marie, parce que ce

---

12. Lettre à Alexandre d'Hiérapolis, dans SEVERE D'ANTIOCHE,
    Contra Grammaticum II, 37 ; trad. J. LEBON, CSCO 112, Scr.
    Syri 59, Louvain 1938, 227, 12-14.

13. *Ibid.*, 22-25.

14. DS 125.

point avait été l'occasion de toute la controverse[15] mais le principe qu'il énonce, celui de l'unité person nelle du Christ, vaut tout aussi bien pour la passion que pour la naissance : le Verbe, qui est Dieu, est né de Marie et a souffert.

On ne peut donc tenir l'impassibilité du Verbe au sens radical où la comprenait Nestorius ; on doit par ler d'une véritable passion du Verbe, d'une passion de Dieu. Ce n'est pas en vertu d'un acte de volonté mais en raison de l'unité de personne impliquée dans l'in carnation que le Verbe a souffert. Les douleurs de la Passion furent les siennes.

b) *Valeur de l'attribution de la souffrance à Dieu*

L'attribution de la souffrance au Verbe est l'appli cation d'un principe plus général qui a pris en théolo gie le nom de *communication des idiomes*, c'est-à-dire d'une mise en commun des propriétés. En vertu de ce principe, on attribue à l'unique sujet qui est Jésus- Christ les propriétés divines et les propriétés humai nes : le Christ est à la fois créateur et créature, tout puissant et dépendant, éternel et mortel. Comme cet unique sujet est la personne du Verbe, on doit dire que le Verbe a souffert, et donc que Dieu a souffert.

L'attribution doit respecter un autre principe : celui de la distinction des natures. Déjà le symbole d'union, qui en 433 voulait réconcilier les christologies d'Alexandrie et d'Antioche, avait noté que les proprié tés sont attribuées en commun à l'unique personne du Seigneur, mais qu'elles se distinguent selon les deux

15. DS 251.

natures, les unes convenant à la divinité et les autres à l'humanité du Christ [16]. Le concile de Chalcédoine déclare que les deux natures sont inséparablement unies, mais sans confusion [17].

Il ne s'agit donc pas d'attribuer à la divinité comme telle la souffrance de la Passion. La communication des idiomes n'implique nullement que la nature divine a souffert ; elle oblige à dire que le Verbe a souffert, mais il a souffert dans sa nature humaine. Affirmer que Dieu a souffert, ce n'est donc pas prétendre que la divinité a souffert : le Dieu dont il s'agit est la personne divine du Verbe.

La négation de Nestorius s'explique précisément par une réaction contre la doctrine apollinariste qui comprenait la communication des idiomes à la manière d'une confusion des deux natures. Selon cette doctrine, l'unité d'hypostase signifiait non seulement l'unité de personne mais l'unité de nature, et dès lors l'attribution de la souffrance à l'hypostase du Verbe impliquait la souffrance de la divinité. Un document apollinariste, faussement présenté comme lettre du Pape Félix, condamne « ceux qui nomment le Christ un homme crucifié et ne confessent pas qu'il a été crucifié dans toute son hypostase divine ». [18]

A bon droit, Nestorius rejetait cette façon de

16. DS 273.
17. DS 302.
18. H. LIETZMANN, *Apollinaris von Laodicea und seine Schule*, Tübingen 1904, Fragm. 186, p. 319 ; cf. M. RICHARD, *L'introduction du mot hypostase dans la théologie de l'Incarnation*, *Mélanges de Science Religieuse* 2 (1945) 8.

concevoir l'unité du Christ[19] ; mais son tort a été de
rejeter en même temps la communication des idiomes
comme si elle ne pouvait pas être entendue correctement. Il n'avait pas discerné la valeur de la distinction entre personne et nature. Passion et crucifixion
ne peuvent être attribuées à la nature divine comme
telle, mais doivent l'être à la personne divine du
Verbe incarné. On ne peut reprocher à Nestorius de
n'avoir pas employé le vocabulaire de Chalcédoine, où
l'hypostase désigne la personne en opposition à la nature ; mais tout en ne pouvant anticiper sur ce développement ultérieur de la terminologie, il n'a pas
suffisamment tenu compte d'une longue tradition, qui
professait sa foi en attribuant au Dieu Verbe les propriétés humaines, la naissance, la souffrance et la
mort[20]. Il était heurté par l'affirmation « Dieu a souffert », alors qu'elle servait depuis longtemps à expri-

19. C'est, semble-t-il, cette manière apollinariste de concevoir la
    Passion de Jésus, qui avait été condamnée dans le Tome de
    Damase (382). Celui-ci réprouve l'opinion selon laquelle « dans
    la passion de la croix c'était Dieu qui sentait la douleur, et
    non la chair avec l'âme, qu'avait revêtues le Christ Fils de
    Dieu » (n. 14, DS 166). On sait que Damase avait réagi contre
    l'apollinarisme ; le tome est adressé à Paulin d'Antioche, spé-
    cialement engagé dans la controverse avec Apollinaire, et il
    condamne expressément l'erreur apollinariste sur l'absence
    d'âme rationnelle chez le Christ (n. 7, DS 159). C'est en
    fonction de l'erreur apollinariste de l'unité de nature que la
    condamnation du n. 14 doit être comprise : la formule est
    d'ailleurs caractéristique, car elle ne dit pas : « c'était Dieu...
    et non seulement... », mais « c'était Dieu, et non la chair avec
    l'âme », puisqu'aux yeux de l'apollinarisme ce n'est pas un
    homme mais l'unique hypostase divine (une personne et une
    nature) qui est crucifiée. Nous ne dirions pas avec Chéné que
    « et non » doit être compris au sens de « et non tantum »
    (*Unus de Trinitate*, RSR 1965, 586, n. 14a).

20. Cf. GRILLMEIER, *op. cit.*, 370.

mer le mystère de l'Incarnation rédemptrice. Il a voulu l'écarter. La réaction qu'il a suscitée fait comprendre à quel point la foi dans le Christ a besoin de cette formule pour s'affirmer.

Il ne s'agit pas simplement d'une subtilité théologique, mais d'une affirmation fondamentale de foi. L'Incarnation n'est véritable que si le Verbe est né de Marie et s'il a souffert. Certes, il y a deux façons erronées d'entendre la formule : « Dieu a souffert » : l'appliquer au Père, ce qui serait tomber dans l'erreur du patripassianisme ; l'appliquer à la divinité, c'est-à-dire à la nature divine, ce qui comporterait le monophysisme. Mais il y a une façon exacte de la comprendre, et en ce sens elle ne peut être niée sans qu'on s'éloigne de la foi. Le Fils de Dieu, qui est Dieu, a souffert.

S'il y a eu de si vives controverses à ce propos, c'est que l'affirmation semble paradoxale ; à première vue, il semblerait impossible que Dieu en vienne à souffrir, de quelque façon que ce soit. Parlant des païens scandalisés par l'idée d'un Dieu incarné et crucifié, Lactance (305) écrivait : « Ils estiment indigne de Dieu de vouloir se faire homme, de se charger des infirmités de la chair, de se soumettre soi-même aux passions, à la douleur, à la mort. » [21] La souffrance, surtout celle de la crucifixion, paraît en effet incompatible avec l'idée la plus commune de Dieu.

On ne peut s'abstenir de rappeler ici la parole de Paul, qui, un des premiers, avait rencontré la résistance

---

1. « Negant Deo dignum ut homo fieri vellet seque infirmitate carnis oneraret, ut passionibus, ut dolori, ut morti se ipse subiceret... » *Divinarum Institutionum*, IV, 22, 3 ; CSEL 19, 369, 2-5.

au message de la croix : « ... Nous prêchons, nous, un Christ crucifié, scandale pour les Juifs et folie pour les païens, mais pour ceux qui sont appelés, Juifs comme Grecs, c'est le Christ, puissance de Dieu et sagesse de Dieu. Car ce qui est folie de Dieu est plus sage que les hommes, et ce qui est faiblesse de Dieu est plus fort que les hommes » (1 Co 18, 23-25). Cependant, dans ce texte, toute la mesure de « scandale » n'est pas encore expressément formulée : tout en admettant que Jésus est Fils de Dieu et Seigneur, c'est-à-dire Dieu, Paul ne dit pas ici, comme Lactance le dira plus tard, que l'étonnant est que « Dieu ait été crucifié par les hommes »[22]. Pour le dire, il faudrait une réflexion théologique comme celle qui a été suscitée par les controverses christologiques des premiers siècles. L'Apôtre se borne à dire que le Christ, dans sa crucifixion, est puissance de Dieu et sagesse de Dieu.

Le progrès des affirmations patristiques, au sujet du Dieu qui a souffert et qui a été crucifié, fait mieux apparaître la valeur scandaleuse de l'attribution de la souffrance au Fils de Dieu. Cette attribution personnelle dépasse considérablement l'étonnement que suscite le plan divin en tant qu'il a choisi la croix comme voie de rédemption et de salut. Ce plan pose le problème d'une sagesse divine bouleversante dans ses projets et ses activités ; l'attribution de la souffrance au Verbe pose le problème de l'engagement de l'être personnel de Dieu dans la souffrance.

Cet engagement est bien indiqué dans le passage de Lactance que nous avons rapporté : ce qui est

22. *Divin. Inst.*, IV, 22, 6 ; CSEL 19, 369, 20.

indigne de Dieu, selon les païens, c'est de *vouloir* se
faire homme, se *charger* de la faiblesse de la chair,
se soumettre soi-même à la douleur. Ce n'est pas uniquement le fait de la souffrance, mais la volonté
personnelle de l'éprouver qui paraît contraire à la
représentation habituelle de Dieu.

2 — « UN DE LA TRINITE A SOUFFERT »

L'attribution de la souffrance au Verbe a trouvé
sa formulation la plus frappante et la plus précise
dans l'affirmation : « Un de la Trinité a souffert ». A
l'origine de cette formule se trouve une profession de
foi de Proclus (437) : « nous confessons que le Dieu
Verbe, un de la Trinité, s'est incarné »[23]. Cette profession se complète par une autre : « Nous confessons
qu'un de la Trinité a été crucifié selon la chair, et
nous n'admettons nullement le blasphème que la
divinité soit passible »[24].

L'expression fait ressortir le contraste entre l'appartenance à la Trinité et le fait de la crucifixion.
Elle n'est cependant que l'explicitation du « Verbe fait
chair » déjà affirmé dans le prologue johannique, et
elle n'apporte rien de nouveau à ce qui avait été énoncé dans le credo de Nicée. Mais elle pouvait être

23. *Tome aux Arméniens,* 10 ; PG 65, 865 C ; ACO 4, 2, p. 192,
    1.7.
24. Lettre à Jean d'Antioche, citée par LIBERATUS, *Breviarium
    causae Nestorianorum et Eutychianorum,* 10 ; PL 68, 990 D ;
    ACO, t. 2, vol. 5, p. 111, 1.19-20 : « quoniam quidem et unum
    ex trinitate secundum carnem crucifixum fatemur et divini-
    tatem passibilem minima blasphemamus ».

utilisée par ceux qui inclinaient au monophysisme, et
recevoir dans leur optique une signification inacceptable : la souffrance de la croix aurait atteint la personne divine du Verbe en raison d'une unité de nature
qui ne permettait pas de soustraire la divinité à la
Passion. Proclus avait déjà réagi contre pareille interprétation de sa profession de foi, en appelant blasphème l'attribution de la Passion à la divinité. Mais
dans les controverses qui suivirent, l'emploi de la
formule avec des intentions hétérodoxes ou suspectes
provoqua une réaction de défiance. Lorsqu'en 519 un
groupe de moines scythes, de Constantinople, appro-
cha les délégués du pape Hormisdas en vue de l'approbation de la formule : « Un de la Trinité a souffert
en sa chair », il ne put obtenir satisfaction. Il faudra
une supplique adressée par l'empereur Justinien au
pape Jean II, en 533, pour vaincre les soupçons de
monophysisme et recueillir l'approbation désirée [25]. Le
deuxième concile de Constantinople, en 553, a édicté
une sanction d'anathème pour ceux qui n'admettraient
pas que « celui qui a été crucifié » est « l'un de la
Trinité » [26].

Est-ce uniquement la crainte du monophysisme
qui a retardé ainsi l'acceptation d'une formule qui,
tout autant que celle de « Theotokos », exprimait une
vérité impliquée dans l'affirmation de l'unité de personne en Jésus ? Il semble que dans ce retard se
manifeste la difficulté que l'esprit humain éprouve
spontanément à admettre en son plein développement

25. Sur cette démarche et d'autres qui ont suivi, cf. CHENE,
    Unus de Trinitate, RSR 1965, 750-754.
26. Can. 10, DS 432.

le mystère de l'Incarnation : entre Dieu et la souffrance, il y a une telle distance qu'elle paraît infranchissable. Affirmer que dans sa nature humaine un de la Trinité a souffert, c'est se départir d'une certaine notion de Dieu, être parfait auquel répugnerait toute douleur quelle qu'elle soit et de quelque manière qu'elle lui soit attribuée. La formule implique le dépassement de cette incompatibilité apparente.

« Un de la Trinité », c'est quelqu'un qui jouit de tous les privilèges de la divinité, et qui par conséquent devrait échapper au drame de la souffrance. Qu'il soit entraîné dans ce drame, c'est une vérité qui demeure surprenante et qui suscite inévitablement objections et résistances. On ne peut jamais s'étonner que les oppositions soulevées autrefois par ce mystère continuent à se rencontrer dans la théologie de la suite des âges.

Remarquons que la formule a un avantage sur l'autre, plus concise : « Dieu a souffert ». Car, en spécifiant qu'il s'agit de quelqu'un de la Trinité, elle attire l'attention sur l'attribution de la souffrance à une personne : il s'agit d'une douleur personnellement assumée, douleur qui n'est pas celle de la communauté divine ni de la nature divine. La souffrance est exclusivement propre au Verbe fait chair.

B. La souffrance du Verbe

1 — ATTRIBUTION LOGIQUE OU REELLE

On pourrait donner de l'affirmation « Un de la Trinité a souffert » une interprétation minimisante.

Avec la préoccupation de préserver au maximum l'impassibilité divine, on restreindrait l'attribution à un mode humain d'expression, à une affirmation logiquement inévitable, mais qui ne comporterait aucune conséquence réelle de passibilité pour le Verbe. Comme le Christ a souffert, et que le Christ est Dieu, nous sommes contraints de dire qu'un Dieu a souffert ; cependant toute la réalité de la souffrance se trouverait exclusivement dans la nature humaine.

L'attribution serait donc plus logique que réelle ; elle serait du genre de l'« appropriation », dont le concept a été utilisé dans la théologie trinitaire : une attribution due à notre mode de penser, ayant un fondement dans la réalité, mais qui ne prétend pas garantir qu'une propriété appartient réellement à la personne. Dans ce cas, la souffrance resterait réellement extérieure au Verbe.

Parfois l'attribution d'ordre logique a dominé la perspective théologique. Certaine théologie, fort soucieuse d'affirmations formelles, s'est surtout préoccupée des aspects logiques de la communication des idiomes : dans quelle mesure peut-on attribuer un prédicat humain ou divin à un sujet qui peut être soit le Christ dans sa totalité, soit son humanité, soit sa divinité ? La réponse globale consiste à dire que la communication des idiomes peut s'effectuer logiquement lorsqu'elle emploie des mots concrets [27] ; on ne peut dire que l'humanité est la divinité dans le Christ, car il s'agit de termes abstraits, mais on doit dire que l'homme Jésus est Dieu, car « homme » et « Dieu »

27. Cf. par ex. P. GALTIER, *De Incarnatione ac Redemptione*, Parisiis 1947, 215-218.

désignent des réalités concrètes. De même, on ne pourrait affirmer que la divinité a souffert, mais on affirme que Dieu a souffert.

Il est vrai qu'un problème de langage existe, parfois assez délicat, lorsqu'on parle des propriétés divines et des propriétés humaines du Christ. Il est donc normal que la théologie se préoccupe des solutions à lui donner.

Peut-être serait-il plus exact de spécifier que l'identité logique se justifie lorsque sujet et prédicat se rapportent à la personne, et que par contre elle ne peut être établie entre les natures. « Humanité » et « divinité » peuvent avoir un sens bien concret, en désignant la nature humaine et la nature divine, qui, dans le Christ, ne restent nullement au stade de l'abstraction ; mais en tant qu'elles se rapportent à la nature, elles ne peuvent être identifiées.

Cependant il n'y a là qu'un problème accessoire : ce ne sont ni des liaisons grammaticales, ni des relations logiques qui ont introduit le principe de la communication des idiomes, et notamment l'affirmation que Dieu a souffert. Le principe repose sur la constitution ontologique du Christ, plus précisément sur l'unité de personne, et il a une valeur essentiellement ontologique. Il signifie que la personne divine du Verbe est réellement engagée dans la souffrance.

Quand nous parlons ici d'engagement, nous ne visons pas directement la volonté du Fils de Dieu de se soumettre à la souffrance, qui selon Lactance suscite le scandale des païens. Nous entendons le fait d'éprouver la souffrance. Le Verbe a ressenti la douleur, comme la honte de la crucifixion, c'est-à-dire une souffrance physique et une souffrance morale.

Pourrait-on néanmoins réduire le « scandale » en limitant la souffrance à la nature humaine ? Le Verbe a souffert en effet dans sa nature humaine. Lorsqu'on lui attribue les douleurs de la Passion, ce sont uniquement les douleurs humaines. La distinction demeure entre les deux natures, unies sans confusion : la souffrance humaine reste humaine et ne peut être attribuée à la nature divine. Il pourrait donc sembler que finalement l'affirmation de la souffrance du Verbe reste enfermée dans le domaine de la nature humaine.

A première vue, cette interprétation paraît enlever à l'affirmation son intérêt et sa valeur ; elle la rend « inoffensive ». Ainsi se pose la question : faut-il donner toute sa réalité à l'affirmation, et faut-il dire que le Verbe a personnellement ressenti la souffrance, que sa personne divine a été affectée par cette souffrance, ou doit-on confiner la réalité de la souffrance à la seule nature humaine, tout en maintenant l'attribution au Verbe ?

2 — LE PROBLEME DANS LA DOCTRINE PATRISTIQUE

Dans quelle mesure la doctrine patristique reconnaît-elle que la souffrance touche réellement la personne du Fils de Dieu ?

Certains textes pourraient faire conclure à une simple attribution externe. Saint Athanase écrit : « Ce que le corps humain du Verbe endurait, le Verbe uni à ce corps se le rapportait à lui-même, afin que nous puissions participer à la divinité du Verbe »[28]. De

28. *Lettre à Epictète,* 6 ; PG 26, 1060 C.

même pour saint Cyrille d'Alexandrie : « Dire que le Dieu Verbe a lui-même senti les tourments (que le corps endurait) serait une extravagance : car ce qui est divin est impassible, nullement dans notre situation. Mais il était uni à la chair, une chair pourvue d'une âme raisonnable : alors donc que cette chair souffrait, lui, impassible, avait la connaissance de ce qui se passait en elle. Comme Dieu, il tendait à faire disparaître les infirmités de la chair : mais il se les appropriait, en tant qu'elles étaient celles de son propre corps. Et c'est ainsi qu'on dit qu'il a eu faim, qu'il a été fatigué, qu'il a souffert pour nous » [29].

Cette façon de parler ne rappelle-t-elle pas l'appropriation par disposition volontaire telle qu'elle était conçue par Nestorius ? En réalité, la différence est profonde, si l'on remet ces paroles dans le contexte doctrinal de leurs auteurs.

L'affirmation d'une disposition volontaire du Verbe n'implique pas une appropriation simplement extérieure, de genre nestorien. Elle se rapporte à la volonté du Verbe d'assumer une nature humaine, volonté qui continue à commander toute la vie du Christ. La souffrance de la croix dépend donc de cette volonté.

Ce qu'il faut vérifier, c'est la portée exacte de cette volonté et du geste de l'Incarnation : la souffrance de la croix appartient-elle au Verbe simplement en vertu d'une volonté de se l'attribuer sans se laisser nécessairement affecter par elle, ou en vertu d'une constitution ontologique par laquelle le Verbe éprouve

29. *Scholies sur l'Incarnation du Monogène*, 8 ; PG 75, 1377 B ; ACO, 1, 5, p. 221, 1.2-6.

personnellement tous les états et toutes les impressions d'une nature humaine qui lui est propre ?

Incontestablement, c'est de cette seconde manière que saint Athanase et saint Cyrille d'Alexandrie conçoivent le lien entre la souffrance et le Verbe. Saint Athanase nous offre, peu avant la phrase citée plus haut, une précision saisissante : « Lorsque son corps était frappé par le serviteur, (le Verbe) disait, comme souffrant lui-même : "Pourquoi me frappes-tu ? " [30] C'est ainsi que les souffrances de la chair ont été les souffrances de celui auquel la chair appartient. » [31] Saint Cyrille d'Alexandrie a exprimé nettement son opinion dans son 12e anathématisme contre Nestorius : « Si quelqu'un ne confesse pas que le Dieu Verbe a souffert dans la chair, a été crucifié dans la chair, a goûté la mort dans la chair... » [32]. Il souligne, en même temps, l'impassibilité divine, et il reprend le « paradoxe » relevé par saint Athanase : « le même souffre et ne souffre pas » [33]. Etant « le même Dieu et homme », il peut « souffrir dans sa chair et ne pas souffrir dans sa divinité » [34]. De ce paradoxe, on aurait tort de retenir surtout la négation : « il ne souffre pas », comme si elle annulait l'affirmation « il souffre » [35]. Si le Dieu

30. *Lettre à Epictète*, 6 ; PG 26, 1060 B.

31. *Discours III contre les Ariens*, 32 ; PG 26, 392 B.

32. DS 263.

33. ATHANASE, *Lettre à Epictète*, 6 ; PG 26, 1060 C ; CYRILLE D'ALEXANDRIE, *Le Christ est un*, PG 75, 1341 A ; SC 97, 474

34. *Le Christ est un*, PG 75, 1341 C ; SC 97, 474-476.

35. G. JOUASSARD a mis en lumière l'impassibilité du Verbe dans la christologie de saint Cyrille, en connexion avec une impassibilité de l'âme humaine. *Un problème d'anthropologie et de christologie chez saint Cyrille d'Alexandrie, RSR* 43 (1945)

Verbe a souffert dans la chair, ce n'est pas uniquement la chair qui a souffert, et si impassible qu'il soit en lui-même dans sa divinité, c'est lui, le Verbe, qui a souffert. « Il souffre quand son corps souffre. »[36]

Saint Cyrille est amené par le commentaire de la lettre aux Hébreux à expliquer davantage la position du Verbe dans la souffrance. Après avoir remarqué que le Verbe, en qualité de Créateur, connaissait l'infirmité humaine, même s'il ne s'était pas fait homme, il écrit : « Mais, après qu'il se fut revêtu de notre chair, il a expérimenté entièrement cette infirmité ; nous ne di-

---

361-378 ; « *Impassibilité* » *du Logos et* « *impassibilité* » *de l'âme humaine chez saint Cyrille d'Alexandrie*, RSR 45 (1957) 209-224. Il s'appuie sur un passage des *Scholies sur l'Incarnation du Monogène*, celui que nous avons cité en partie (chap. 8, ACO, 1, 5, p. 221, 1.2-6 ; PG 75, 1377 B). Selon son interprétation de ce passage, il faudrait admettre en un sens absolu l'impassibilité du Verbe, qui ne percevrait la souffrance de son corps que dans sa science divine (« *Impassibilité* » *du Logos*, p. 221). En fait, tout ce que l'on peut tirer de ce texte, c'est que s'il y a une analogie entre l'appropriation des souffrances du corps à l'âme et l'appropriation des souffrances du corps humain au Verbe, il y a aussi une différence : le Verbe ne peut participer aux souffrances de son propre corps comme l'âme y participe, parce que sa divinité est impassible. Bref, s'il y a pour Cyrille une certaine impassibilité de l'âme en ce sens que celle-ci n'est pas par elle-même sujette aux souffrances de la chair mais y participe seulement parce qu'il s'agit de son corps, on doit reconnaître au Dieu Verbe une impassibilité supérieure. Dans son article, Chéné mentionne à bon droit d'autres textes de Cyrille qui complètent celui-ci et font comprendre sa véritable pensée. A propos de la connaissance qu'a le Verbe des passions de son corps, il cite le commentaire de la lettre aux Hébreux qui parle d'une science expérimentale (*Unus de Trinitate, RSR* 1965, 562). L'impassibilité divine, tout en demeurant intacte, n'a pas empêché le Verbe de souffrir réellement des souffrances corporelles.

36. *Scholies sur l'Incarnation du Monogène*, 35 ; PG 75, 1409 D ; ACO, 1, 5, p. 213, 1.14.

sons pas qu'auparavant il l'ignorait, mais ce qu'il sa-
vait déjà d'une science divine préexistante, il a voulu
l'apprendre en en faisant l'expérience » [37].

Ce texte explicite ce qui restait à l'état d'implication dans d'autres passages : le Verbe fait personnellement l'expérience de l'infirmité humaine, de la
souffrance. Cette expérience lui apporte une nouvelle
connaissance, différente de la connaissance divine.

Saint Cyrille va plus loin encore, car il ne se
limite pas à l'aspect de connaissance. En commentant
la qualité attribuée au Christ, grand prêtre capable
de compatir à nos faiblesses, il précise que le Verbe
« est devenu compatissant, mais non à la suite de
l'expérience qu'il a faite ». D'où venait cette compassion ? « Il était miséricordieux par nature, et il l'est
comme Dieu », mais le pouvoir de compatir qu'on
lui reconnaît vient de ce que, étant compatissant
comme il l'est, « il l'est devenu de la manière qui
convient à l'homme, à notre façon » [38]. Ce n'est donc
pas seulement la science divine qui s'accompagne
d'une expérience humaine, mais aussi la miséricorde
divine qui devient compassion humaine.

Ce qu'il faut remarquer dans ce passage, c'est
que le docteur d'Alexandrie, au lieu d'opposer la passion humaine à l'impassibilité divine du Verbe, entre-
voit plutôt une compassion humaine dans le prolongement de la compassion divine. N'ayant plus ici
le souci de défendre sa christologie contre les reproches d'apollinarisme, et voulant simplement expliquer
le mieux possible un texte de la lettre aux Hébreux,

37. *Sur la lettre aux Héb.*, 4, 14 ; PG 74, 973 A.
38. *Ibid.*

il n'hésite pas à souligner l'harmonie entre ce que le Verbe est comme Dieu et ce qu'il devient comme homme.

Dans cette voie, le problème de la souffrance du Verbe aurait pu être posé de façon beaucoup plus profonde, en reconnaissant déjà en Dieu une véritable compassion qui se manifeste dans la vie humaine de Jésus.

Beaucoup moins engagée dans les querelles christologiques et beaucoup moins affrontée au nestorianisme, la théologie des Pères latins s'est moins intéressée que celle des Pères grecs à l'affirmation de la souffrance du Verbe. La déclaration la plus significative à cet égard apparaît précisément chez quelqu'un qui est intervenu dans la controverse orientale, saint Léon : « Ce que le Verbe chair souffrait n'était pas la peine du Verbe mais de la chair, dont les outrages et supplices rejaillissaient aussi sur l'Impassible ; de ceux-ci on dit donc à bon droit que c'est à lui qu'a été infligé ce qu'il avait admis dans son corps. »[39] L'affirmation est faite non plus à partir du Verbe comme sujet de la souffrance, mais à partir des souffrances humaines qui ont leur répercussion dans le Verbe. Elle souligne le fait que le Verbe a été affecté par les souffrances de la Passion.

3 — LE PROBLEME DANS LA THEOLOGIE POSTERIEURE ET LA REPONSE MINIMISANTE

Les résistances à l'attribution de la souffrance

39. *Sermo* 65, 3 ; **PL** 54, 363 A ; **SC** 74, 91 (*Sermo* 52, XIVᵉ sur la Passion).

au Dieu Verbe, qui avaient marqué les grandes controverses christologiques, ont encore reparu dans la
théologie postérieure.

Elles ont été favorisées, dans la christologie latine, par l'accent mis, dans la doctrine trinitaire, sur
l'unité de la nature divine. La distinction des personnes divines n'est certes pas méconnue, mais elle
est moins valorisée que dans la théologie grecque. Or,
dès que l'attention se concentre sur la nature unique
plutôt que sur les personnes, l'impassibilité de Dieu
est affirmée globalement, et l'on n'est guère tenté de
se demander ce que signifie, pour la personne du
Verbe, l'attribution de souffrances humaines. Le problème, plutôt gênant, est volontiers passé sous silence,
ou, plus simplement encore, n'est pas perçu. C'est ce
qui a fait que l'approfondissement de la question n'a
pas été réalisé par la scolastique médiévale.

La remarque vaut non seulement pour le problème
spécifique de la souffrance attribuée au Verbe, mais
pour tout le rôle de la personne du Verbe dans sa vie
humaine. Ce rôle n'est pas abordé de front. On s'en
tient au principe de la communication des idiomes,
avec les conséquences logiques qu'il comporte, mais
on ne se soucie pas de mener quelque investigation
systématique sur le genre d'influence exercé par le
Verbe sur son activité et ses états d'homme. Ce qui
est propre au Verbe comme distinct des deux autres
personnes divines dans le mystère de la vie terrestre
de Jésus n'est pas pris en considération.

Ainsi, saint Thomas se contente de dire qu'avant
sa Passion, le Fils de Dieu permettait à la chair d'agir
et de souffrir ce qui lui est propre, comme il le per-

nettait également à toutes les forces de son âme[40].
lilleurs, lorsqu'il parle de l'action du Christ en tant
que Verbe de Dieu, il l'envisage comme action
commune avec le Père et le Saint Esprit, et il la dis-
ingue de l'action humaine[41]. Le cadre de pensée reste
lonc celui de l'opération divine des trois personnes,
n face de l'opération humaine. Cette opération hu-
naine est certes attribuée à l'hypostase subsistante
lu Verbe[42], mais la question du genre d'influence pro-
ire au seul Verbe n'est pas examinée[43]. Pour ce qui
st de la Passion, saint Thomas affirme qu'elle doit
tre attribuée à la personne du Verbe, non en raison
le la nature divine impassible, mais en raison de la
ature humaine, et il cite le 12e anathématisme de
'yrille[44].

Duns Scot adopte une position qui accentue la

). *S. Th.*, III, Q. 18, a. 5 in c. Chéné conclut de ce texte que
saint Thomas paraît avoir admis « une hégémonie propre et
personnelle du Verbe sur son humanité, en ce sens que c'est
lui qui, comme l'âme meut son corps, la meut et la gouverne »
(*Unus de Trinitate*, 579). Cette interprétation est plausible,
mais le verbe « permettre » reste faible pour exprimer une
telle hégémonie.

l. *S. Th.*, III, Q. 19, a. 1, ad 1.

2. *Ibid.*, ad 3.

3. Au sujet du principe posé par Scot, selon lequel le Verbe
n'exerce, sur la volonté humaine du Christ, qu'une causalité
qui ne diffère pas de celle de toute la Trinité, un thomiste
comme H. Diepen affirme que c'est aussi le principe admis
par saint Thomas : « Croit-on donc sérieusement que saint
Thomas serait d'un autre avis, lui qui plus que personne a
insisté sur l'unité divine et la distinction minime des Personnes divines, *minima distinctio realis quae possit esse* (I
Sent., d. 26, q. 2, a. 2 ad 2) ? (*La psychologie humaine du
Christ selon saint Thomas d'Aquin*, RT 50 (1950) 536).

4. *S. Th.*, III, Q. 46, a. 12 ; Q. 16, a. 5.

tendance unitariste de la théologie latine. Henri d
Gand était d'avis que le Verbe avait assumé la natur
humaine par une opération propre, différente d
l'opération commune de la Trinité, vu que les autre
personnes n'avaient pas assumé cette nature. Sco
critique cette opinion : le principe efficient de l'Incar
nation est toute la Trinité, et ce qui est uniquemen
propre au Verbe, c'est d'être le terme de l'opératio
commune [45]. Dieu le Verbe ne peut, en tant que Verbe
poser aucune action propre *ad extra*. Il n'y a pas d
distinction à faire entre une personne qui agirai
comme incarnée et une autre qui n'agirait pas ains
parce que non incarnée. Dès lors, le Verbe n'exerc
aucune causalité propre sur l'action humaine d
Christ [46]. La volonté humaine est maîtresse de so
acte dans le Christ comme dans un autre homm
aussi parfaitement que si elle n'était pas unie a
Verbe : cette union n'a pas de conséquence dans l'o
dre opératoire. La Trinité permet à la volonté humain
du Christ de produire son acte aussi librement qu'
le permet à la volonté des autres hommes [47]. Dans un

---

45. *Op. ox.* III, d. 5, q. I, n. 17.18.20 (éd. VIVES, XIV, 51 b, 52
    53 a). Cf. L. SEILLER, *L'activité humaine du Christ selon Du
    Scot*, Paris 1944, 27.

46. « Verbum nullam operationem habet aliam a tota Trinitat
    circa actum volontatis creatae » (*Op. ox.* III, d. XVII, q. 5, n.
    VIVES, XIV, 654 b). « Dico quod nullam rationem causae hab
    Verbum respectu operationis Christi, quam non habet Pat
    et Spiritus Sanctus » (*Rep. Par.* III, d. XIII, q. 1, n. 7 ; VIVE
    XXIII, 328 b).

47. « Ideo voluntas in Christo non privatur dominio respec
    suorum actuum plus propter unionem ad Verbum quam
    non uniretur ei » (*Op. ox.* III, d. XVII, q. 1, n. 4 ; VIVES, XI
    654 b) « Et permittit (Trinitas) voluntatem humanam (Chris
    ita libere elicere actum suum sicut permittit alias voluntat

telle perspective, on ne voit pas quelle valeur réelle d'attribution personnelle pourrait comporter l'affirmation que le Verbe a souffert.

A la doctrine scotiste ont fait écho des théologiens de notre siècle, qui ont voulu mettre en lumière l'autonomie de la psychologie humaine du Christ.

Déodat de Basly a représenté l'œuvre du salut comme un tournoi d'amour entre le Dieu Trine et le Christ-homme (*Assumptus Homo*). Il nie que le Verbe agisse dans la vie humaine de Jésus et voudrait écarter la notion d'incarnation. Il critique la doctrine selon laquelle c'est le Verbe incarné qui meurt au Calvaire. Celui qui meurt, à proprement parler, c'est l'Homme assumé [48].

L. Seiller s'est exprimé dans le même sens ; dans le tout que constituent Dieu le Verbe et l'Homme assumé, seul ce dernier est principe d'action, autonome agisseur [49]. C'est l'Homme adjoint au Verbe qui aime la Trinité et qui est descendu dans la douleur [50], comme le dirait Déodat, suivant le principe que Dieu doit être aimé par un autre que lui, par un esprit créé qui lui est extrinsèque [51]. C'est donc à l'homme qu'est attribuée l'offrande de soi en holocauste ; c'est lui qui était destiné à la Passion et c'est lui qui priait Dieu : « Jésus-Christ, Homme parfait, notre Rédempteur,

elicere suum » (*Rep. Par.* III, d. XVII, q. II, n. 4 ; VIVES, XXIII, 376 b).

48. *Structure philosophique de Jésus, l'Homme-Dieu*, France Franciscaine **20** (1937) 36.

49. *L'activité humaine*, 42.

50. *Ibid.*, 69.

51. *Ibid.*, 68 (cf. SCOTUS, *Rep. Par.* III, d. VII, q. IV, n. 5 (VIVES, XXIII, 303 b).

priait sans cesse pour nous Dieu le Verbe auquel il
est subjoint » [52]. L'Homme assumé continue à exercer,
devant le Dieu Trinité, l'office de suppliant et
d'intercesseur [53].

En Jésus, l'homme est donc regardé comme sujet
d'activité psychologique, qui entre en dialogue avec
Dieu le Verbe. Si la souffrance ne concerne que
l'homme, c'est au prix d'un nestorianisme psychologique qui pose un sujet humain en face d'un sujet
divin.

Tout en ne s'avançant pas aussi loin, P. Galtier
s'est rallié lui aussi au principe que l'unité du Christ
« n'a rien de dynamique ou de fonctionnel » [54]. Il a
souligné la distance qui existe entre la constitution
ontologique du Christ et sa psychologie : si la nature
humaine appartient à la personne divine du Verbe,
la conscience humaine n'attribue pas elle-même à la
personne les actes et les états humains [55]. Mais alors,
comment se justifie l'attribution à la personne divine
de ses impressions de souffrance ? « Si elle-même n'a
pas eu conscience de souffrir ; si le Fils de Dieu
n'éprouve en lui-même aucune impression de douleur,

52. *Ibid.*, 70.
53. *Ibid.*, 71.
54. *L'unité du Christ. Etre... Personne... Conscience*, Paris 1939, 320
55. Galtier nie toute influence propre à la personne du Verbe
    dans l'activité de conscience, en disant que dans ce cas le
    Verbe serait à la fois le « principium quod » et, tout au moins
    partiellement, le « principium quo » des activités humaines.
    C'est uniquement à cette condition qu'il pourrait être perçu
    directement par la conscience humaine ; or pareille condition
    est inacceptable, puisqu'elle attribuerait à la personne divine
    ce qui est propre à la nature humaine (*La conscience humaine
    du Christ. Epilogue, Gregorianum* 35 (1954) 234-235).

peut-on dire vraiment qu'il a souffert ? Le sens commun ne l'entend pas ainsi. Souffrir implique qu'on se perçoive affecté par la souffrance. N'est-ce point là le sens auquel les fidèles entendent la doctrine du Christ souffrant pour nous ? Sa valeur proprement religieuse ne tient-elle pas à ce sens réaliste ? Ne lui doit-elle pas, en particulier, le pouvoir d'émotion et d'entraînement qu'elle a de tout temps exercé sur les chrétiens ? » [56].

La réponse de Galtier est que les souffrances du Christ ont toujours été attribuées au Fils de Dieu lui-même, mais que l'on n'a jamais considéré ces souffrances comme affectant l'être divin en lui-même. L'Incarnation n'a pas rendu l'être de la personne du Verbe accessible à la souffrance. Seuls son corps et son âme ont connu la douleur. Le Fils de Dieu n'avait pas de part aux états psychologiques ni aux mouvements physiologiques de son humanité ; « mais le fait de s'être uni cette humanité suffisait à l'en rendre vraiment le sujet » [57].

La souffrance, comme toutes les autres impres-

---

56. *L'unité du Christ*, 322.

57. *Ibid.*, 323. Galtier a expressément protesté contre l'interprétation de sa pensée par Mgr Parente, qui l'accusait de n'admettre entre le Fils et Dieu et ses souffrances qu'une relation d'ordre moral (*La conscience humaine du Christ, à propos de quelques publications récentes, Gregorianum* 32 (1951) 534). Il ne nie pas les relations d'ordre moral mais veut affirmer une « relation d'ordre substantiel » (535). Dans le même article, il invoque le texte de saint Cyrille que nous avons cité (*Scholies*, ACO 1, 5, 220-221) pour nier la participation du Verbe aux souffrances du corps, en affirmant que le docteur alexandrin s'en tient simplement à l'idée d'une appropriation ou d'une prise de possession (553).

sions et opérations humaines, n'affecterait pas la personne divine. Pour repousser plus spécialement l'objection du « sens commun », Galtier taxe de « rêve
morbide » un Christ accessible, jusque dans son être
divin, à ce qui fait la faiblesse et la misère des hommes » ; il ajoute : « Les hommes aiment à se reconnaître dans leur Sauveur ; mais un Dieu ainsi dégradé
ne saurait les émouvoir. » [58]

Invoquant le principe que le Fils de Dieu s'unit
les impressions de sa nature humaine, il affirme que
les souffrances lui appartiennent aussi réellement que
le font à une femme ses gémissements de mère. Il
déclare même : « Ce corps meurtri, ce cœur brisé, il
se les est donnés pour pouvoir connaître d'expérience
ce qu'il en coûte d'obéir à ses commandements. »
Mais il n'explique pas comment cette expérience est
possible dans un Fils de Dieu qui ne prend pas
conscience de souffrir. Plus conforme à sa pensée est
la citation d'un texte des « Exercices » de saint Ignace,
qui invite à considérer comment la divinité se cache
et « laisse l'humanité sacrée souffrir si cruellement ». [59]

C. La pleine valeur de la souffrance du Verbe

A la tendance qui repousse l'idée d'un Verbe affecté par ses souffrances humaines s'en oppose une
autre qui cherche à donner toute sa valeur à l'affirmation que le Verbe a souffert.

« Entre ces deux conceptions de la doctrine d'un
Dieu souffrant, dit J. Chéné au terme de son étude

58. *Ibid.*, 326-327.
59. *Ibid.*, 328.

surtout consacrée à la doctrine patristique, l'une selon laquelle la personne du Verbe a enduré les souffrances émanant de son âme et de sa chair, l'autre selon laquelle la personne du Verbe a dit *moi* sur ces souffrances sans les éprouver, nous ne pensons pas qu'on doive hésiter. Ce Fils de Dieu, comme homme, a réellement connu par expérience toutes les formes de la douleur : il a non seulement pris à son compte, mais senti la souffrance qui coulait, intarissable, de sa fragile et mortelle substance. » [60]

Nous avons fait une investigation dans les témoignages patristiques, mais nous devons revenir aux affirmations fondamentales de l'Ecriture en ce domaine, avant d'examiner les objections d'ordre théologique.

1 — LES AFFIRMATIONS SCRIPTURAIRES

a) *Affirmation de la souffrance personnelle du Fils de Dieu*

Il importe d'abord de reconnaître la valeur de l'affirmation johannique « Le Verbe s'est fait chair » (1, 14). L'évangéliste ne se borne pas à dire que le Verbe s'est uni à une chair humaine, qu'il a habité dans la chair comme dans un temple, ou qu'il a assumé un homme. Le Verbe est devenu chair, c'est-à-dire est devenu homme. Il est devenu quelqu'un qui souffre, qui éprouve personnellement les douleurs humaines. S'il n'avait pas été affecté par elles, elles lui

60. *Unus*, RSR 1965, 584.

seraient demeurées extérieures et on ne pourrait pas dire qu'il est devenu cela, qu'il est devenu un homme avec tous les sentiments et toutes les émotions d'une authentique vie humaine.

Avec cette affirmation s'accorde une autre de la lettre aux Hébreux, qui concerne directement la Passion : « Tout Fils qu'il était, il apprit, de ce qu'il eut à souffrir, l'obéissance. » (5, 8). C'est le Fils de Dieu qui a souffert : l'auteur est conscient du paradoxe [61]. Bien plus, cette souffrance a été pour le Fils de Dieu une expérience de la difficulté d'obéir. On ne pourrait donc pas prétendre que le Fils de Dieu s'est simplement approprié des souffrances qu'il n'éprouvait pas lui-même en personne : il les a ressenties en vertu d'une acceptation intime qui lui était pénible et qui lui permettait de prendre une attitude d'autant plus valable d'obéissance au Père.

L'hymne christologique de la lettre aux Philippiens est encore plus éclairant. Paul demande aux chrétiens d'imiter les sentiments du Christ Jésus : « lui, subsistant dans une condition divine, s'est anéanti, prenant la condition de serviteur, devenant semblable aux hommes, et il s'est humilié en se faisant obéissant jusqu'à la mort, et à la mort de la croix »

---

61. L'idée n'est pas une parenthèse dans la lettre : l'auteur « signale une fois de plus que les prérogatives du Fils éternel de Dieu (5, 5 ; 1, 21) ne l'ont pas dispensé de faire l'expérience complète des sujétions, des faiblesses et des tentations de la nature humaine (3, 17-18 ; 4, 14-15 ; 5, 2-3) », commente C. Spicq (*Epître aux Hébreux*, II, Paris 1953, 117). Par contre, on ne peut dire, avec ce commentateur, que le Christ « n'a pu faire aucun progrès dans l'obéissance », car précisément, en apprenant l'obéissance par l'expérience de la souffrance, il y a progressé.

(2, 6-8). Il est vrai que l'hymne n'emploie pas les termes de souffrance ou de douleur, mais manifestement l'obéissance jusqu'à la mort de la croix est pénible et implique un sacrifice intime. Or celui qui s'est humilié dans cette obéissance est celui qui subsistait dans une condition divine, littéralement « en forme de Dieu ». Cette expression se rapporte à la nature de Dieu telle qu'elle existe dans son propre déploiement [62]. C'est donc en étant Dieu que le Christ s'est humilié : la souffrance morale de l'humiliation de la croix prend de ce fait toute sa valeur. Elle est la souffrance volontairement assumée et ressentie par une personne divine.

Loin de porter à une interprétation minimisante de la souffrance du Fils de Dieu, l'Ecriture nous incite à la reconnaître dans toute sa valeur.

b) La kénose

La kénose affirmée par l'hymne christologique en Ph 2, 7 fait découvrir la profondeur de la souffrance du Christ. L'humiliation volontaire de la Passion dans l'obéissance de la croix est présentée comme l'achèvement du geste de l'Incarnation : geste d'anéantissement ou de dépouillement de soi. Or ce dépouillement

---

62. Selon L. Cerfaux (*Le Christ dans la théologie de saint Paul*, Paris 1951, 290), la forme « exprime la manière dont une chose, étant ce qu'elle est en elle-même, se présente aux regards ». P. Grelot admet une signification analogue et traduit « les traits de Dieu » (*Deux expressions difficiles de Philippiens* 2, 6.7, *Bi* 53 (1972) 503-507). Il cite un texte de Flavius Josèphe, où la « forme » de Dieu paraît désigner la configuration de l'être lui-même, distinguée de ses manifestations et de ses œuvres (*Contre Apion*, II, 22, 190 s).

ne peut pas être attribué à l'homme en Jésus, puisqu'il
a consisté pour celui qui possédait la condition divine
à prendre la condition humaine, et plus précisément
la condition de serviteur. L'acte même de l'Incarnation
est conçu comme un sacrifice, sacrifice qui ne peut
avoir pour sujet que la personne divine du Fils.

Certains exégètes ont essayé de ramener ce dépouillement à celui du sacrifice rédempteur, en niant
que l'Incarnation soit visée au début de l'hymne [63]. Le
« dépouillement » ne serait, dans cette perspective, que
la traduction de l'expression qui décrivait le sacrifice
du serviteur souffrant : « il se dépouille lui-même »
serait l'équivalent de « il sacrifie sa vie » (Is 53, 12 b).
La kénose n'affecterait dès lors que la nature humaine
du Christ. Le problème doctrinal qu'elle pose serait
beaucoup moins ardu.

Cependant, l'équivalence invoquée, avec la réduction de la kénose au sacrifice du serviteur, reste
problématique [64]. La plupart des auteurs reconnaissent
qu'il s'agit de l'Incarnation et que le « dépouillement »
caractérise le passage de la condition divine à la
condition humaine. En effet, c'est en « devenant semblable aux hommes » que celui qui était dans une

63. A. FEUILLET, *L'Homme-Dieu considéré dans sa condition
terrestre de Serviteur et de Rédempteur, Vivre et penser* II
(*RB* 1942) 58-79 ; *L'hymne christologique de l'épître aux Philippiens, RB* 72 (1965) 359-363 ; J. JEREMIAS, *Zu Phil II, 7, NT*
6 (1963) 182-188. P. LAMARCHE (*L'Hymne de l'Epître aux Philippiens et la kénose du Christ,* dans *L'homme devant Dieu*
(Mélanges H. de Lubac) Paris 1963, I, 147-158) adopte une position nuancée : la kénose désigne le total dépouillement du
Christ mourant, mais elle ne se réduit pas à ce seul instant
et englobe l'incarnation.

64. Cf. p. ex. la reconstitution araméenne tentée par P. GRELOT,
Deux notes critiques sur Philippiens 2, 6-11, Bi 54 (1973) 169-186.

condition divine s'est dépouillé : pareil devenir ne peut signifier que l'acte d'Incarnation. Il y a deux étapes, le dépouillement dans l'adoption de la condition humaine de serviteur, et l'abaissement jusqu'à la mort de la croix : elles sont dans le prolongement l'une de l'autre, mais elles ne se confondent pas.

En décrivant le renoncement plus fondamental de l'Incarnation, l'hymne va plus loin que les affirmations : « Dieu a souffert », « un de la Trinité a souffert », par lesquelles la tradition énoncera la souffrance du Verbe, puisque celles-ci se rapportent simplement aux douleurs de la vie humaine et à la Passion. Il a la hardiesse de poser plus directement le mystère de la souffrance dans l'acte par lequel le Fils de Dieu s'engage dans sa vie d'homme.

Le dépouillement de soi est, en effet, opéré par le Fils de Dieu lui-même ; c'est lui qui en est affecté, qui subit les conséquences de son « anéantissement ». Mais en quoi consiste plus exactement ce dépouillement ? [65]

Il ne consiste pas dans un abandon par le Fils de Dieu ni de sa nature divine ni de ses prérogatives ou attributs divins. Celui qui se dépouille subsiste, demeure dans la condition divine, même lorsqu'il devient semblable aux hommes [66]. Mais il renonce à

---

65. Sur les diverses interprétations de la kénose, cf. P. HENRY, *Kénose*, *DBS* 5, 7-161.

66. C'est ce que souligne Grelot : « Il manifeste d'une certaine manière, dans son être même et par la médiation de son humanité, les « traits » invisibles du Dieu vivant. En effet il est et demeure « dans la forme de Dieu », « avec les traits de Dieu », lors même qu'il s'anéantit lui-même en prenant la forme (= les traits) d'un serviteur » (*Deux expressions*, Bi 1972, 506).

vivre sa vie humaine d'une façon glorieuse, à « ravir » l'égalité avec Dieu », c'est-à-dire le statut d'humanité divinisée, resplendissante de gloire divine [67]. Non seulement il s'interdit de prendre ce statut glorieux qui aurait correspondu à sa condition divine, mais il agit de façon inverse : il se vide, se dépouille, en prenant la condition de serviteur. Par conséquent, en renonçant à l'exercice d'attributs divins qu'il aurait pu manifester dans son existence humaine, il se prive lui-même de ce que sa condition divine aurait normalement comporté dans sa vie terrestre.

Avant le dépouillement de la croix, il y a le dépouillement plus foncier qui s'accomplit dans l'Incarnation. L'Incarnation n'a pas été simplement un acte par lequel le Fils de Dieu s'est adjoint une nature humaine ; elle a été un acte sacrificiel, qui comportait pour lui un renoncement, c'est-à-dire une certaine souffrance morale délibérément assumée.

C'est d'ailleurs à ce titre que saint Paul la présente aux Philippiens comme un exemple à suivre : en tant que dépouillement, l'acte du Fils de Dieu devenu semblable aux hommes constitue un modèle essentiel d'humilité dans l'amour.

Prétendre que le Fils de Dieu n'aurait pas été affecté par son « anéantissement », c'est enlever à la kénose sa valeur. Le texte souligne l'effet intérieur, personnel, de la démarche : « il s'anéantit lui-même ».

---

67. Il faut en effet donner à *harpagmos* son sens de chose à ravir, et à « l'égalité avec Dieu » un sens qui résulte du contexte, c'est-à-dire l'état glorieux qui loin d'être ravi par Jésus a été reçu par lui à la suite de son sacrifice. Cf. à ce sujet P. GRELOT, *La valeur de ouk... alla... dans Philippiens, 2, 6-7*, Bi 54 (1973) 25-42.

C'est sur lui-même qu'a porté la privation. Tout en conservant intacte sa nature divine, il s'est imposé à lui-même un véritable sacrifice intime.

Ce sacrifice qui affecte la personne du Fils ne pourrait cependant pas s'interpréter à la manière de Serge Boulgakof, qui pensait y discerner un renoncement du Fils à sa propre personnalité : « Son Moi divin se dissout dans l'hypostase paternelle, tandis que sa propre hypostase se manifeste comme une hypostase humaine, attentive à la volonté de Dieu, et ne se possédant comme la propre hypostase divine du Fils qu'à travers l'obéissance. » [68] Selon cette interprétation, la vie divine du Fils cesserait d'être sienne, et appartiendrait à l'hypostase du Père. La « dévastation de soi » impliquerait dépersonnalisation.

Pareille interprétation est excessive. Même s'il faut entendre la dépersonnalisation au seul plan de l'activité, comme signifiant simplement la réduction à l'inaction de « l'actualité hypostatique » du Fils, on ne peut la justifier par l'hymne des Philippiens. Le Fils ne renonce pas à agir personnellement, hypostatiquement, comme Fils, puisque c'est lui qui se dépouille, lui qui s'humilie dans l'obéissance de la croix. La kénose est un acte et un état éminemment personnels.

Tout en étant inacceptable, la doctrine kénotique élaborée par Boulgakof a le mérite d'attirer l'attention sur l'importance de l'anéantissement. Elle s'est efforcée de prendre au sérieux ce que dit l'hymne christologique. Si l'on n'a pas le droit d'absolutiser la kénose au point d'y voir un renoncement à la nature divine,

68. *Du Verbe incarné* (*Agnus Dei*), Paris 1943, 151.

aux attributs divins ou à la personne divine, on n'a pas non plus le droit de la minimiser, comme si la personne divine n'avait pas été affectée par le dépouillement. C'est justement dans la conciliation des deux aspects, le maintien de la nature divine dans son intégrité et la démarche de dépouillement de soi même, que réside le mystère.

Il faut donc admettre dans l'Incarnation un aspect douloureux. Cet aspect douloureux n'est pas inhérent à l'Incarnation comme telle, puisqu'il cesse dans le Christ glorieux, qui demeure le Verbe incarné. Il est dû aux conditions dans lesquelles l'Incarnation s'est effectuée, au régime de vie humaine terrestre adopté par le Fils de Dieu.

Il est de la plus haute importance, car il indique l'esprit dans lequel s'est effectuée l'Incarnation. Une incarnation dans une humanité glorieuse aurait pu être regardée comme l'expression d'un égoisme divin qui désirerait étaler sa splendeur, éblouir et séduire les hommes. L'incarnation kénotique et douloureuse manifeste au contraire l'amour : le sacrifice que s'est imposé le Fils de Dieu en s'anéantissant et en prenant par solidarité une condition semblable à celle de tous les hommes est une démonstration de son amour pour l'humanité.

c) La souffrance, sommet de l'Incarnation

La kénose nous invite à ne pas réduire la souffrance à un aspect secondaire, accidentel, de la vie humaine du Verbe.

Dans l'intention de sauvegarder la perfection du Verbe incarné, la manifestation de sa « gloire », certains ont regardé la Passion comme un temps d'exception, une sorte de parenthèse dans l'existence du Christ. Telle avait été la position de plusieurs théologiens espagnols, Cano, Grégoire de Valencia, Salmeron, Maldonat, qui tout en affirmant que le Christ avait joui habituellement sur la terre de la vision béatifique, avaient admis la suspension de ce privilège durant le temps de la Passion [69]. Loin de tenir ce temps pour une dérogation au régime de vie du Verbe fait chair, nous devons au contraire reconnaître en lui le développement le plus complet de l'incarnation dans la vie terrestre, le sommet de l'expérience humaine du Fils de Dieu. La mort sur la croix a été l'aboutissement extrême du dépouillement de celui qui, possédant la condition divine, a pris la condition de serviteur.

Telle est également l'optique d'un texte johannique, souvent traduit en termes trop faibles. Jean rapporte le trouble de Jésus devant la perspective de la Passion : « Maintenant mon âme est troublée, et que dire ? Père, sauve-moi de cette heure ? Mais c'est pour cela que je suis venu, en vue de cette heure. Père, glorifie ton nom ! » (Jn 12, 27-28). La traduction la plus courante : « je suis venu à cette heure » ne rendrait pas toute la force de la pensée de Jésus telle qu'elle est ici rapportée, et elle ne laisserait à l'expression « je suis venu » qu'une signification banale. Jésus a parlé de lui-même comme du Fils de l'homme qui est venu ; « être venu » comporte la valeur cachée de sa préexistence. Ici, dans le « je suis venu », c'est toute la grandeur de cette préexistence qui est évo-

69. CANO, *De locis theol.* 1, 12, c. 13 in fine, G. de VALENCIA, *De Incarnatione*, disp. I, q. 9, punct. 2 ; SALMERON, *Commentar.*, X, tract. 11 ; MALDONAT, *In Matth.* XXVI, 27.

quée ; elle fait contraste avec l'heure devant laquelle
Jésus éprouve un trouble. A la supplication que suscite le trouble : « Sauve-moi de cette heure », Jésus
lui-même réagit en reconnaissant que vouloir se soustraire à cette heure n'aurait aucun sens, puisque c'est
pour cela, en vue de cette heure, qu'il est venu. « En
vue de cette heure » répète avec insistance le « pour
cela ». L'affirmation indique l'importance capitale de
la Passion : c'est cette Passion qui explique toute la
venue du Christ, c'est-à-dire l'Incarnation. Il faut d'ailleurs ajouter que selon la perspective johannique,
l'heure de la Passion est celle de la glorification,
l'heure où le Fils de l'homme, élevé sur la croix, est
élevé en gloire.

En outre, le récit de la Passion montre suffisamment comment tout l'homme, en Jésus, a été pris par
la souffrance. L'expression employée dans la prophétie du serviteur : « homme de douleurs » s'est réalisée
en ce sens que toute la nature humaine du Christ a
été envahie par la douleur physique et plus encore
l'épreuve morale (Is 53, 3). L'exclamation de Pilate
« Voilà l'homme » (Jn 19, 5) est suggestive : Jésus présente une image typique de l'homme, en personnifiant
l'humanité souffrante. S'il n'avait pas fait l'expérience
de la douleur la plus complète, l'Incarnation n'aurait
pas atteint son plein développement.

On ne peut donc attribuer une importance secondaire à cet aspect de l'existence humaine du Christ.
Or c'est le Verbe qui est homme et qui fait l'expérience de la douleur : si la nature humaine est entièrement saisie par la Passion, le Verbe lui-même est
profondément saisi, touché par la souffrance, dans la
mesure où cette nature est la sienne. La profondeur

humaine de l'épreuve devient la profondeur de sa souffrance de Verbe.

Ce serait d'ailleurs aller contre le témoignage évangélique et toute la tradition que de considérer cette souffrance comme un élément accidentel et peu caractéristique de la vie humaine du Verbe incarné. Le fait que le Fils de Dieu a souffert les intenses douleurs de la Passion est capital dans l'œuvre du salut. Pour peu qu'on veuille atténuer ce fait, notamment en n'admettant qu'avec réticence une véritable Passion du Verbe, on relègue dans l'ombre une vérité essentielle de la foi. Le Fils de Dieu a éprouvé, sur la croix, le fond de la détresse humaine ; plus que n'importe quel homme, il a fait l'expérience de la souffrance.

On doit y reconnaître le sommet de la révélation de Dieu. Tout dans la vie humaine de Jésus est révélation de Dieu, mais la souffrance est l'expérience humaine la plus dense, et elle est donc bien apte à montrer ce qu'est Dieu. Non seulement elle indique le point extrême de la solidarité assumée par le Verbe à l'égard de l'humanité, mais elle manifeste son visage divin. Tout en demeurant souffrance de la nature humaine du Christ, elle fait découvrir un aspect essentiel de l'amour divin, son aspect le plus mystérieux, où Dieu nous apparaît tout autre, fort différent de nos représentations humaines.

Il est surprenant en effet que celui qui est tout-puissant soit soumis à la douleur. Ici apparaît la valeur de la méthode théologique qui ne consiste pas à poser une représentation déterminée de Dieu et à contester la réalité de tout ce qui dans l'Ecriture n'y est pas conforme, mais à accepter pleinement la Révélation, avec une image de Dieu qui transcende et bou-

leverse nos concepts. On ne peut partir d'une idée
de toute-puissance dont le principe exclut toute possibilité de souffrance ; le véritable point de départ est
constitué par le fait que le Tout-puissant a souffert.
Loin d'être en contraste avec l'authentique conception
de Dieu, la souffrance la met en lumière, elle contribue
à faire comprendre en quoi consiste la toute-puissance
divine.

Elle attire notamment l'attention sur la primauté
de l'amour en Dieu. La toute-puissance n'est pas un
premier attribut absolu qui déterminerait souverai-
nement les limites de l'amour ; l'amour est premier,
et la puissance divine est celle de l'amour. C'est pourquoi cette puissance est capable de s'abaisser jusqu'à
la dernière profondeur de la souffrance.

Le Dieu qui souffre est un Dieu qui aime. La
douleur de la Passion fait entrevoir l'illimitation de
l'amour divin : cet amour n'a pas accepté les bornes
qu'aurait pu poser une revendication de pouvoir et
de dignité. Le Fils de Dieu n'a pas prétendu, dans son
existence humaine, être l'intouchable, celui qui est
soustrait aux vicissitudes des émotions et des sentiments humains, celui sur lequel la souffrance n'aurait
pas d'emprise : au contraire il s'est ouvert sans limites
à la douleur humaine, et il l'a goûtée sans réticence,
parce que son amour voulait aller jusqu'au bout.

d) La souffrance du Fils dans la déréliction

La parole évangélique qui exprime la souffrance
la plus profonde du Christ lors de la Passion pose un
problème d'interprétation : « Mon Dieu, mon Dieu
pourquoi m'as-tu abandonné ? » (Mt 27, 46 ; Mc 15

4). Elle semblerait indiquer à première vue la plainte
e l'homme abandonné par Dieu ; elle opposerait la
étresse humaine à la transcendance divine, et sem-
lerait par conséquent fort lointaine de l'idée d'un
)ieu qui souffre.

On sait que Luther a vu dans cette parole l'attesta-
ion que le Christ a été tourmenté dans son âme de
a même manière que les damnés, qui éprouvent l'hor-
eur de Dieu : à ses yeux la déréliction est semblable
ı l'abandon du pécheur après qu'il a commis le péché [1].
;i l'on devait admettre cette interprétation, la dou-
eur ressentie par Jésus serait en quelque sorte mar-
iuée du signe du péché, et devrait être attribuée à
'homme en tant qu'il se met en opposition avec Dieu.
_ogiquement, la souffrance de la Passion ne pourrait
ılors être souffrance de Dieu même : Dieu serait uni-
iuement celui qui inflige la souffrance pour sanction-
ıer la faute, et l'homme serait seul à l'éprouver à
itre d'expiation pour lui-même et pour autrui.

Il est vrai que le Christ a porté dans sa Passion
a charge des péchés des hommes. Cependant c'est en
iualité de Fils de Dieu qu'il a représenté toute l'hu-
nanité devant le Père. On ne peut oublier qu'il a
l'ailleurs été condamné à mort par le grand-prêtre
ıarce qu'il se donnait pour le Fils de Dieu. Cette
dentité qu'il avait proclamée avec force devant le
;anhédrin, il n'aurait pu la méconnaître peu après,
ıu Calvaire. En disant : « Eli, Eli, lema sabachtani »,
l gardait sa conscience de Fils.

Au témoignage de Matthieu et de Marc, Jésus a
jeté un autre cri au moment de sa mort, et selon

i9 bis. *Op. in Ps 22* (21), *Werke* (Weimar 1892), V, 602.

la version de Luc, il a nommé le Père : « Père, entre
tes mains je remets mon esprit » (Lc 23, 46). L'invocation du Père est d'autant plus significative qu'elle
est l'élément personnel introduit par Jésus dans la
citation du psaume 31, 6, où la prière était adressée
à Yahwé.

Dans la citation du psaume 22, Jésus conserve
l'invocation « Eli ». On doit certes se demander si la
phrase du psaume a été prononcée telle quelle. Mais
critiquement, l'authenticité historique de cette parole
de Jésus est suffisamment assurée ; ce n'est pas une
phrase que la communauté chrétienne aurait pu attribuer à Jésus s'il ne l'avait prononcée, car l'abandon
qu'elle énonce pose un problème à la foi. D'elle-même,
la communauté n'aurait pas mis sur les lèvres de
Jésus une parole qui, à première vue, aurait semblé
donner raison aux adversaires en affirmant l'abandon
du crucifié par Dieu. Seule la fidélité au témoignage
historique a pu imposer ce souvenir à la rédaction
évangélique. Quant à l'invocation « Eli », elle est
confirmée par la raillerie de certains témoins : « En
voilà un qui appelle Elie » (Mt 27, 47 ; Mc 15, 35).
Une telle raillerie ne s'explique que si Jésus a prononcé le mot.

L'invocation a sans doute été reprise intentionnellement dans le but d'exprimer l'absence apparente du
Père au moment du Calvaire. En « abandonnant »
Jésus à la mort, le Père semble voiler son visage de
Père. Le terme « Eli » ne montre pas seulement l'accomplissement d'un texte prophétique ; il prend une
valeur nouvelle dans le contexte des relations filiales
de Jésus avec le Père. Il évoque le drame du Fils
qui dans sa souffrance humaine ne parvient plus à

reconnaître le visage du Père : « Eli » signifie la froideur, la distance de Dieu à l'homme, là où le Christ crucifié aurait attendu la chaleur, la proximité du Père. Jésus n'éprouvait plus la présence paternelle.

L'abandon est d'autant plus vivement ressenti par Jésus que ses contacts filiaux avec le Père étaient plus chauds. Comment faut-il qualifier cet abandon ? Selon la perspective biblique, il y a d'abord un abandon objectif, qui consiste dans le fait que Jésus est livré à la mort, sans que le Père intervienne pour lui sauver la vie. La faveur divine suprême était celle qui préservait de la mort : or le supplice de la croix aboutissait à son dénouement sans que cette faveur se manifeste.

Mais de plus, pour Jésus, cet abandon paraissait impliquer un désaveu de la part du Père. Il avait porté un message à l'humanité, en garantissant son authenticité par l'autorité du Père. Or, au moment où il livre sa vie en sacrifice pour témoigner la vérité de sa prédication, il semble attendre en vain l'approbation éclatante que le Père devrait lui accorder. C'est si vrai que Saul appuiera bientôt son zèle de persécution des chrétiens sur le fait de la mort de Jésus, interprété comme la démonstration d'un désaveu divin.

On remarquera la différence, à ce point de vue, avec la mentalité du psalmiste. Selon cette mentalité, le juste a normalement droit à la protection divine, qui en le sauvant des périls atteste sa qualité de juste. C'est cette mentalité que reflète la version lucanienne de l'exclamation du centurion : « Sûrement, cet homme était un juste » (Lc 23, 47). Mais cette mentalité est trop étroite dans son individualisme pour coïncider

avec celle du Christ. Le grand problème pour Jésu
est celui de l'accomplissement de sa mission de Sau
veur : il a besoin de l'approbation du Père, non pe
sonnellement pour attester la rectitude de sa conduit
mais pour mettre en évidence la vérité de sa parol
de sa qualité de Fils venu révéler le Père dans son de
sein de libération de l'humanité.

Même objectivement, la déréliction de la croi
frappe donc Jésus dans sa conscience filiale. Elle d
route, pourrait-on dire, son assurance d'être le Fi
envoyé en mission par le Père.

En outre, la déréliction comporte un aspect sub
jectif. Jésus *se sent* abandonné ; affectivement,
éprouve le vide d'une absence. A ce point de vue, o
comprend plus facilement encore que sa souffranc
est essentiellement une souffrance filiale. Le Fils s
désole, dans ses sentiments humains, d'avoir perdu l
joie de la présence du Père, plus particulièrement e
des circonstances où il aurait apprécié ce soutie
L'intensité de la désolation, tout en s'inscrivant dan
la profondeur de sa nature humaine, résulte de s
personnalité de Fils.

L'interrogation « pourquoi ? » n'est pas moins c
ractéristique de cette souffrance filiale. Jésus pose l
question que beaucoup ont posée avant lui et qu'u
grand nombre poseront après lui. Outre le fait mate
riel, sensible, de la douleur, il y a le tourment, pou
l'esprit humain, de ne pas en comprendre le sens. E
se sentant délaissé par le Père, Jésus est déconcert
par une attitude paternelle dont il avait expériment
tant de manifestations réconfortantes, et qui para
tellement différente à cette heure critique. La déré
liction lui posait un problème insoluble. Problèm

commun a ceux qui sont affligés par de grandes épreuves, mais qui prend une valeur exceptionnelle en Jésus, parce que le « pourquoi ? » est adressé par le Fils au Père. Même pour le Fils, la souffrance demeure un mystère dont l'intelligence humaine doit renoncer à sonder le fond.

Les trois termes de la phrase du psaume : « Eli », « pourquoi », « m'as-tu abandonné » prennent leur valeur comme expression d'une souffrance qui affecte le Fils : froideur apparente du Père, abandon objectif et affectif, tourment de l'esprit déconcerté.

On ne comprendrait donc pas la valeur de la citation du psaume si on l'isolait du contexte des relations filiales du Christ avec le Père, et si on prétendait ramener la situation du crucifié à celle du psalmiste, en interprétant la parole de Jésus de simples relations de l'homme avec son Dieu[70]. Remise dans son contexte, la citation révèle le drame qui atteint les contacts du Fils avec le Père.

La disposition filiale s'exprime plus ouvertement au moment où, réagissant au sentiment de déréliction, Jésus remet son esprit dans les mains du Père : après avoir dit « Eli » au creux de la douleur la plus intime, il dit « Père » dans l'acte de l'abandon confiant. L'invocation « Père » n'est rapportée que par Luc. Mais la version de Marc suggère qu'il y a eu de la part de Jésus une expression de disposition filiale à l'instant de la mort, puisque le centurion s'écrie : « Vraiment cet homme était fils de Dieu ! » (Mc 15, 39).

---

70. Cf. J. MOLTMANN, *Der gekreuzigte Gott*, München 1972, 143 : « Il n'est pas juste d'interpréter le cri de Jésus au sens du Psaume 22, mais plus juste d'interpréter ici les mots du Psaume au sens de la situation de Jésus. »

On peut observer que le cri ultime de Jésus impli
que la réponse au cri de désolation sous tous les as
pects de la souffrance filiale qui y apparaissaient. Le
trois termes du Psaume 22 y ont leur parallèle. A l'in
vocation « Eli », signe de distance, répond l'invocation
« Père », signe de familiarité ; à la déréliction fait écho
la confiance totale par laquelle le Christ se remet dans
les mains paternelles ; le tourment spirituel du « pour
quoi » s'apaise dans l'abandon de l'esprit, car ce n'est
pas seulement sa vie mais son esprit que Jésus remet
dans les mains du Père.

L'épreuve du Calvaire est essentiellement celle du
Fils de Dieu, qui souffre dans ses sentiments filiaux.
Il faut donc préciser l'affirmation « Dieu a souffert »
en ajoutant que celui qui a souffert, c'est Dieu le Fils
et qu'il a plus particulièrement souffert dans sa per
sonnalité de Fils.

Le mystère de la souffrance rédemptrice nous
fait pénétrer dans le mystère des rapports entre les
personnes divines. Si le Fils souffre comme Fils, dans
ses relations avec le Père, la Trinité est concernée de
façon mystérieuse par cette souffrance. Loin de li
miter la souffrance aux relations de l'homme avec
Dieu, la déréliction nous montre comment elle s'in
troduit en un certain sens jusqu'au cœur de Dieu,
dans l'intimité du Fils avec le Père.

2 — LE PRINCIPE THEOLOGIQUE DU VERBE SUJET DE LA SOUFFRANCE

Le principe de l'unité d'être et d'opération des per

sonnes divines ne peut être entendu de façon à priver de valeur l'affirmation que le Verbe a souffert. L'affirmation implique que le Verbe a personnellement ressenti ses souffrances humaines, et par conséquent qu'il assume ses états psychologiques en exerçant une emprise qui lui est propre sur toute l'activité de conscience de sa nature humaine. Le moi divin du Fils de Dieu prend humainement conscience de lui-même, selon le mode d'exercice de la conscience humaine, et c'est dans cette conscience qu'il perçoit la joie et la douleur.

Pour rendre compte de cette perception, on doit admettre que la personne du Verbe est, au plein sens du mot, sujet de toutes les opérations humaines, et qu'on doit lui reconnaître une causalité propre de sujet dans ces opérations, et pas seulement le rôle de terme. Il ne suffit pas d'affirmer que la personne du Verbe est le terme de l'Incarnation ou de l'union hypostatique, de façon à sauvegarder le principe selon lequel la causalité qui produit l'Incarnation doit être attribuée à la Trinité tout entière. Sans exclure l'intervention des deux autres personnes, le Verbe a une activité qui lui est propre dans le mystère de l'Incarnation : il est la seule personne divine qui assume comme sienne la nature humaine. Il est sujet propre de l'Incarnation, et c'est ainsi qu'il est sujet propre, et non seulement terme, des activités et états psychiques. Il est sujet de l'union hypostatique, ou plus exactement de l'unité hypostatique : plutôt que de dire que deux natures, l'une divine et l'autre humaine, se sont unies en une hypostase, on exprime mieux l'acte de l'Incarnation en disant que c'est l'hypostase ou personne du Verbe qui a assumé, pour se l'unir à elle-même, et par là à la nature divine, une nature d'homme.

A cette causalité propre au Verbe, on ne peut objecter l'axiome énoncé par le concile de Florence dans l'expression de la doctrine trinitaire : « En Dieu tout est un là où ne fait pas obstacle l'opposition de la relation »[71]. C'est sur cet axiome que se fonde le principe selon lequel en Dieu les opérations *ad extra* sont communes et indivisibles. A vrai dire, le principe suscite beaucoup de difficultés dans l'explication de l'Incarnation, comme en témoigne la restriction posée par Billuart : « des opérations *ad extra* sont communes à toute la Trinité selon la Providence générale, non selon le soin spécial qui incombe à la personne du Verbe envers l'humanité assumée »[72]. « Maladresse impardonnable de cet auteur », a dit un thomiste plus intransigeant[73], mais lui-même, malgré le principe, a énoncé des affirmations qui semblaient attribuer quelque influence ou rôle spécial à la personne du Verbe[74].

71. DS 1330.

72. *De Incarnatione*, d. XV, a. 2, obj. 3 inst. 1. C'est un des textes de théologiens thomistes que cite Seiller pour incriminer leur opinion (*L'activité humaine*, 23, n. 16).

73. DIEPEN, *La psychologie humaine*, RT 1950, 536, n. 4.

74. Aux reproches que lui avait faits Galtier sur ce point, Diepen a opposé son texte pour se justifier, mais ce texte suggère parfois une influence spéciale du Verbe sur la vie psychologique du Christ, comme en ce passage : « Quant à l'acte humain par lequel le Christ s'adresse au Père, il est posé par le Fils seul qui est seul le sujet d'attribution des actes émanés de l'Humanité du Christ. Mais ce même acte, posé par le Fils, est causé par la Trinité, principe unique et indivisible de toute opération *ad extra...* » (*L'unique Seigneur Jésus-Christ*, RT 53 (1953) 67). Le fait d'être causé par la Trinité n'efface pas l'affirmation que l'acte est posé par le Fils seul.

Ceux qui veulent maintenir le principe sont amenés
à rechercher quelque voie qui puisse expliquer l'attribution des actes humains au Fils de Dieu[75], et
peuvent difficilement échapper à la nécessité d'admettre une influence spéciale sous une forme ou une
autre.

Il importe surtout de noter que les difficultés
viennent non de l'axiome lui-même, mais d'une application trop étroite qu'on en fait. Si tout est un en
Dieu là où ne fait pas obstacle une opposition de
relation, il faut observer que justement cette opposition se vérifie dans l'Incarnation, parce que c'est le
Fils qui s'incarne, et qui s'incarne en tant que Fils,
dans la situation filiale qui le situe en face du Père.
On ne pourrait, dans la théologie de l'Incarnation,
faire abstraction de la personnalité filiale de celui qui
s'est fait homme. Le fait qu'il s'agisse du Fils, plutôt
que d'une autre personne de la Trinité, n'est nullement indifférent. C'est au Fils que conviennent la
mission de révélation, en vertu de la ressemblance avec
le Père, et le sacrifice rédempteur, qui comporte
obéissance filiale et offrande filiale ; c'est à lui qu'il
appartient de communiquer aux hommes la filiation
divine.

Tout en reconnaissant que le Père et l'Esprit Saint
agissent avec le Fils dans la réalisation du mystère
de l'Incarnation[76], il faut admettre qu'à l'intérieur de
cette action commune, le Fils agit selon sa propre

---

75. Cf. la discussion entreprise à ce sujet par J.H. NICOLAS dans
RT 53 (1953) 421-428 (*Discussions autour de l'unité psychologique
du Christ*).

76. Nous considérerons davantage cette action trinitaire dans le
chapitre suivant.

personnalité de Fils. Action commune ne veut pas dire rôle identique des trois personnes. Dans l'Incarnation, le Fils se distingue du Père et se comporte filialement.

Dès lors, le Fils exerce sur la nature humaine qu'il assume son influence personnelle, qu'on ne peut confondre avec l'action du Père et de l'Esprit. Il agit en sujet personnel de toutes ses activités et de tous ses états de conscience. Il communique ainsi à toute sa psychologie humaine un caractère foncièrement filial.

Lorsque la lettre aux Hébreux déclare que « tout Fils qu'il était, il apprit, de ce qu'il eut à souffrir, l'obéissance » (5, 8), elle veut mettre en relief le contraste de l'obéissance, non avec la simple qualité de Fils, mais avec celle de Fils de Dieu, c'est-à-dire avec le niveau d'être divin de celui qui est « resplendissement de la gloire et empreinte de la substance » de Dieu, et « qui soutient l'univers par sa parole puissante » (He 1, 3). Ce qui est surprenant, c'est que quelqu'un investi de la puissance divine ait à obéir ; mais si celui qui est Dieu doit apprendre l'obéissance, on comprend mieux que ce soit le Fils, car il y a une convenance entre la position de Fils et la soumission au Père.

C'est donc bien le Fils, en sa qualité de Fils, et non pas uniquement comme personne divine incarnée, qui a éprouvé les douleurs de la Passion. L'acte qui consomme cette Passion, celui de la mort, est l'acte filial par lequel le Christ remet son esprit dans les mains du Père : la note filiale est essentielle dans cet abandon. L'exclamation du centurion, « voyant qu'il avait ainsi expiré », prend à ce point de vue toute

a valeur : « Vraiment cet homme était fils de Dieu ! »
Mc 15, 39).

Conclusion

Les affirmations « Dieu a souffert » et « Un de la
Trinité a souffert » sont centrales pour la compréhension de la Passion. Elles ont été formulées dans
la tradition pour garantir la vérité que le Christ est
Dieu. Elles représentent le point extrême de l'Incarnation, l'ultime limite de l'abaissement de celui qui
étant Dieu a voulu vivre intégralement la vie humaine.

La souffrance qu'elle attribue à Dieu est une souffrance humaine. Ce n'est pas une souffrance de la
nature divine. Dans le Christ, les deux natures demeu-
rent distinctes, sans confusion. Néanmoins, la souffrance est réellement souffrance d'un Dieu, parce que
la personne qui souffre est la personne divine du
Verbe. Cela suppose que la douleur a un retentissement dans cette personne, qu'elle pénètre d'une certaine manière en elle, car elle est vraiment sienne,
tout en demeurant souffrance humaine.

Bien plus, cette souffrance est une manifestation
de la kénose, dépouillement qui a commencé avec l'Incarnation et qui a consisté pour le Fils de Dieu à
passer de la condition de Dieu à celle de serviteur.

Ce dépouillement fait apparaître l'acte de l'Incarnation elle-même comme un acte sacrificiel accompli par le Fils.

Dans cette perspective, on doit reconnaître que la souffrance de la Passion revêt une importance capitale dans la vie de Jésus : c'est par elle qu'il peut accomplir sa mission. Aussi la souffrance joue-t-elle un rôle essentiel dans l'expérience humaine du Verbe incarné. A ce titre, elle affecte profondément le Verbe.

Il importe surtout de noter que cette souffrance touche le Verbe en tant que Fils. La déréliction montre comment l'épreuve atteint les relations du Fils avec le Père. Le Dieu qui souffre, c'est Dieu le Fils, et il souffre dans sa personnalité de Fils. Certes, on ne peut oublier qu'il souffre dans l'expression humaine de sa personnalité filiale. Mais le fait qu'il est affecté précisément dans cette personnalité, en qualité de Fils, contribue à mettre en lumière combien est réelle sa souffrance de personne divine.

Il y a donc une profonde souffrance humaine de Dieu, souffrance qui atteint ce que le Fils a de plus propre en sa personne divine.

II

L'ENGAGEMENT DU PÈRE
DANS L'INCARNATION
ET DANS LA PASSION

La souffrance du Christ pose le problème de la participation des deux autres personnes divines à la Passion.

Certes, nous l'avons souligné, la crucifixion n'atteint directement que la personne du Fils, et elle l'atteint dans sa nature humaine. On ne pourrait donc parler d'une souffrance qui, d'elle-même, en vertu de la nature divine, serait commune au Père, au Fils et à l'Esprit. La souffrance humaine du Fils incarné n'est pas une souffrance de la nature divine. Elle demeure strictement propre au Fils.

Cependant nous devons nous demander si le Père et le Saint Esprit ne sont pas impliqués, engagés dans le drame rédempteur de telle sorte qu'ils ne restent pas complètement inaccessibles à la souffrance du crucifié. Jusqu'où va la communion des personnes divines dans l'événement essentiel de l'œuvre du salut ? Nous examinerons plus spécialement la situation du Père, mais il va de soi que la mesure de la communion dans le drame vaut aussi pour l'Esprit Saint. Peut-on

appliquer au Père ce que l'on serait porté à dire pour
un père humain dans les relations avec son fils soumis
à une épreuve ? Y a-t-il une solidarité analogue en
Dieu, chez le Père à l'égard du Fils, ou doit-on exclure
cette solidarité dans le domaine de la souffrance, en
raison de l'impassibilité divine ?

La question nous oblige à préciser la situation
des personnes divines dans le mystère de l'Incarnation. Le problème de leur participation à la Passion
s'intègre en effet dans le problème plus général du
degré de leur engagement dans l'Incarnation et dans
la vie terrestre de Jésus.

Seule d'ailleurs cette considération plus générale
nous permettra d'énoncer des principes d'où une solution plus sûre peut s'élaborer pour le cas particulier
de la Passion. Elle nous soustraira au danger soit de
proposer une solution simplement sentimentale, soit
de refuser par principe toute possibilité, pour les personnes divines, d'un engagement véritable dans la
voie douloureuse.

A. L'engagement de la Trinité

1 — L'ACTION TRINITAIRE DANS LA DEMARCHE DE L'INCARNATION

Selon la théologie traditionnelle, toute la Trinité
a effectué l'Incarnation. Le 4e Concile de Latran (1215)
a proclamé, dans une définition de foi, « le Fils unique
de Dieu, Jésus-Christ, incarné par l'œuvre commune

le toute la Trinité »[1]. Cette œuvre commune résulte le l'unité de Dieu, soulignée avec force au début de a même définition de foi : il y a trois personnes, nais « une seule essence, substance ou nature abso- ument simple »[2].

Bien auparavant, le 11e Concile de Tolède (675) vait énoncé expressément cette vérité : « il faut croire que c'est toute la Trinité qui a opéré l'Incarnation lu Fils de Dieu, parce qu'inséparables sont les œu- res de la Trinité »[3]. On voit apparaître ici le principe elon lequel les actions des personnes divines, lors- qu'elles sont tournées vers l'extérieur, sont communes. A l'action qui consiste à unir une nature humaine ndividuelle à la personne du Verbe, ont donc concou- u les trois personnes.

Cependant cette communauté d'action de la Tri- ité demeure une affirmation globale ; nous avons nentionné le danger de l'interpréter en ce sens que 'action serait identique chez les trois personnes[4]. La

DS 801 : « unigenitus Dei Filius Jesus Christus, a tota Trini- tate communiter incarnatus ».

DS 800. Le dogme trinitaire est affirmé en réaction aux doc- trines de Joachim de Flore, d'Amaury de Bène, de David de Dinant (cf. R. FOREVILLE, Latran I, II, III et Latran IV, Paris 1965, 283 s).

DS 535 : « Incarnationem quoque huius Filii Dei tota Trinitas operasse credenda est, quia inseparabilia sunt opera Trini- tatis ».

C'est ainsi que le 11e Concile de Tolède a voulu attribuer aux trois personnes l'action d'envoyer : « Il faut croire que le Fils n'a pas seulement été envoyé par le Père, mais par l'Esprit Saint... On admet que par lui-même aussi il a été envoyé : en effet indivisible est non seulement la volonté, mais l'opé- ration de la Trinité tout entière. » (DS 538). Le concile n'étant pas œcuménique, il ne s'agit pas d'une définition de foi qui s'impose à tous les chrétiens. D'après le langage évangélique,

Révélation nous présente cette action commune d'un façon beaucoup plus circonstanciée, diversifiée. El spécifie ce qui est propre à chacune des personne et indique davantage le genre d'engagement personn qui y est impliqué.

Le Fils, nous l'avons déjà souligné, est celui q est venu en personne dans le monde, le Verbe q s'est fait chair et a habité chez nous. Aussi 11ᵉ concile de Tolède précise-t-il que « seul le Fils pris la condition de serviteur, dans la singularité (sa personne, non dans l'unité de la nature divin c'est-à-dire dans ce qui est propre au Fils, et non da ce qui est commun à la Trinité » [5].

L'Esprit Saint est celui qui, en venant sur Vierge Marie et en la couvrant de son ombre, a réali dans son sein la conception virginale de l'enfant. I 4ᵉ concile de Latran, aussitôt après avoir affirmé l'œ vre commune de la Trinité, rappelle que Jésus-Chri a été conçu « de Marie toujours Vierge par la coop ration de l'Esprit Saint » [6]. Le rôle du Père est hab tuellement décrit comme celui de maître suprêm le Père est celui qui a envoyé son Fils, qui l'a donn livré à l'humanité.

Une action identique des trois personnes aura

c'est le Père qui envoie et le Fils qui est envoyé ; voul(attribuer l'envoi au Saint Esprit et au Fils, c'est ne p reconnaître l'action propre du Père. De plus, que peut bi signifier le fait d'être envoyé par soi-même ? Le verbe « € voyer » exprime l'initiative du Père.

5. DS 535 : « Solus tamen Filius formam servi accepit (cf. Ph 2, 7) in singularitate personae, non in unitate divinae natur: in id quod est proprium Filii, non quod est commune Tri: tati. »

6. DS 801.

quelque inutilité ou superfluité ; l'action commune prend toute sa valeur dans l'apport propre à chaque personne. Il n'y a pas ici d'« appropriation » à invoquer, car, dans son action, chaque personne reste elle-même, et agit selon son mode particulier. Chacune a une activité propre, non pas seulement en apparence, mais en réalité.

C'est ainsi que, pour chacune, on doit parler d'un engagement personnel dans le mystère de l'Incarnation. Chacune fait sien ce mystère, d'une manière spécifique, de telle sorte que toute l'harmonie et toute la richesse du mystère trinitaire s'y expriment. En envoyant son Fils, le Père suscite toute l'aventure de la vie terrestre du Sauveur. L'Esprit Saint fait surgir l'enfant en établissant une relation d'amour exceptionnelle entre Dieu et la Vierge Marie. Ni l'un ni l'autre n'accomplissent ce qui est propre au Fils : assumer personnellement une nature humaine, devenir personnellement homme.

2 — L'ACTION TRINITAIRE DANS LA VIE TERRESTRE DE JESUS

Théoriquement, on pourrait se demander si l'engagement de la Trinité va au-delà de l'acte initial de l'Incarnation. Il serait difficile d'admettre qu'une fois commencée la vie terrestre du Verbe incarné, le Père et l'Esprit Saint n'ont plus poursuivi leur engagement dans le mystère, et qu'ils sont restés étrangers au drame de la Passion. Les témoignages évangéliques indiquent cet engagement dans l'ensemble de la vie et de l'œuvre de Jésus : l'envoi du Fils par le Père

domine toutes les démarches et toute l'activité d[
Sauveur ; l'Esprit Saint, descendu sur Jésus au bap
tême, le guide dans sa mission.

L'œuvre du Père

C'est surtout l'évangile de Jean qui met en relie
la présence continuelle du Père dans l'œuvre de Jésus
« Les œuvres que le Père m'a données pour que j
les mène à bonne fin, ces œuvres mêmes que je fai
me rendent ce témoignage que le Père m'a envoyé
(5, 36)[7]. L'envoi de Jésus par le Père se manifest
donc de façon continuelle par des œuvres qui on
leur origine dans le Père.

Que signifie plus exactement le « don des œu
vres » que le Père fait à Jésus ? A première vue
l'expression est étrange, car normalement on donn
une chose à quelqu'un, plutôt qu'une œuvre. En effe
l'œuvre est ce que chacun doit accomplir personne
lement. Et il en va ainsi dans le cas de Jésus, puisqu
c'est lui qui doit réaliser les œuvres, les mener
bonne fin.

Cependant les œuvres ont été données par le Père
On pense immédiatement, pour expliquer ce don,
une volonté du Père qui commande les activités d
Jésus. « Donner » implique « ordonner ». Jésus lu
même a déclaré : « Ma nourriture est de faire la vo
lonté de celui qui m'a envoyé et de mener à bonn
fin son œuvre » (Jn 4, 34). Il y a chez lui un « appétit
de la volonté du Père, qu'il reçoit comme un do

---

7. Nous reprenons la traduction : « pour que je les mène
bonne fin », justifiée par A. VANHOYE, *L'œuvre du Chris
don du Père (Jn V, 36 et XVII, 4)*, RSR 48 (1960) 377-419.

ui nourrit sa vie. Son obéissance est essentiellement
ne forme de l'amour, de sorte que les préceptes du
ère sont regardés comme un don.

Mais « donner » n'est pas un pur équivalent de
ordonner ». Le terme possède sa valeur propre. « Que
e Père donne à Jésus son œuvre, dit A. Vanhoye [8], cela
ignifie qu'il lui fait confiance pour la réalisation de
on dessein de salut. » C'est à Jésus qu'il appartient
le mener à bonne fin l'œuvre donnée par le Père.
.'intention d'amour qui préside au don comporte une
ttitude de confiance, en vertu de laquelle l'œuvre est
raiment remise dans les mains de Jésus.

Est-ce suffisant pour rendre compte du don accor-
lé par le Père ? Il semble qu'on doive encore complé-
er sa signification en observant que l'œuvre, confiée
à Jésus pour qu'il la mène à bonne fin, a d'abord été
:laborée dans le plan du Père : selon sa structure ou
:onfiguration essentielle, elle s'est formée dans la
iensée et la volonté paternelles. Il faut cela pour
jue l'œuvre soit vraiment donnée. Selon le texte jo-
iannique, Jésus ne dit pas seulement que le Père lui
a donné d'accomplir des œuvres, mais que le Père lui
a donné des œuvres, pour qu'il les mène à bonne fin.

C'est d'ailleurs ce qui explique que Jésus parle
le l'œuvre de celui qui l'a envoyé, des œuvres du
Père, et ne dit jamais « mon œuvre » ou « mes œuvres » [9]. Ce sont des œuvres conçues par le Père, œuvres qui ont d'abord existé dans l'intention du Père, et
jui découlent de cette intention toujours actuelle.

3.   *Ibid.*, 408.
».   La remarque est faite par Vanhoye, *ibid.* : « Même réalisées
     par Jésus, les œuvres restent œuvres du Père. »

Aussi y a-t-il une influence incessante du Père dans l'accomplissement, au point que Jésus peut dire « Le Père, qui demeure en moi, accomplit ses œuvres » (Jn 14, 10). Tout en faisant confiance à Jésus et en lui remettant la réalisation de l'œuvre du salut, le Père agit continuellement en Jésus pour opérer cette œuvre.

L'œuvre apparaît donc en premier lieu comme la propriété du Père, avant de devenir la propriété du Fils. Et lorsqu'elle devient la propriété du Fils en vertu du don du Père, elle demeure néanmoins propriété du Père, en ce sens que le Père ne reste jamais étranger à son accomplissement et opère son dessein en Jésus.

Lorsqu'il parle des œuvres que le Père lui donne Jésus ne vise pas seulement le miracle, mais l'ensemble de son activité, tout ce qui appartient à l'accomplissement de sa mission. Finalement, il y a une seule œuvre : « Je t'ai glorifié sur la terre, dit-il au Père dans la prière sacerdotale, en menant à bonne fin l'œuvre que tu m'as donnée de faire » (Jn 17, 4).

On ne peut douter que dans cette œuvre qui a été donnée par le Père à Jésus « pour qu'il l'accomplisse », la Passion occupe une place de grande importance [10]. Dans la prière sacerdotale, l'allusion à cette Passion est plus apparente [11]. Certes, Jésus a déclaré

---

10. Significative à cet égard est l'attention donnée par Vanhoye à la Passion-Résurrection comme œuvre par excellence du Père (*ibid.*).

11. Cf. M.-J. LAGRANGE, *Evangile selon S. Jean*, Paris 1925, 441 : « Il a rempli sur la terre la tâche que son Père lui avait confiée, la Passion étant d'avance comprise (*Chrys.* etc.), comme l'œuvre principale. »

u'il lui fallait réaliser durant le jour les œuvres de
elui qui l'avait envoyé, parce que durant la nuit nul
e peut œuvrer (Jn 9, 4) ; mais si l'heure des ténèbres
nterrompt les œuvres, elle ne pourrait interrompre
œuvre, cette œuvre que Jésus ne peut mener à bonne
in que par la Passion et la Résurrection. Jésus consi-
ère sa mise à mort comme voulue par le Père, car il
 reçu l'ordre de donner sa vie et de la reprendre
Jn 10, 18) ; à Pierre qui voudrait s'opposer par la
iolence à son arrestation, il fait comprendre qu'il
oit boire le calice donné par le Père (Jn 18, 11). La
assion fait donc plus spécialement l'objet d'un don
u Père.

Ici encore, il convient d'attribuer au verbe « don-
er » toute sa valeur : si le calice est donné par le
ère, c'est qu'il s'est d'abord formé en lui. Certes,
eul le Christ doit boire le calice, mais il le boit comme
enant du Père.

Si nous voulons réfléchir aux implications de ce
on de l'œuvre et du calice, nous devons poser la
question : cette œuvre et ce calice qui sont en premier
ieu la propriété du Père, restent-ils, avant leur réali-
ation en Jésus, tellement extérieurs au Père que
elui-ci ne s'y engage nullement ? Le Père se borne-
-il à préparer ce que doit faire et souffrir son Fils,
u porte-t-il le premier en lui cette œuvre et cette
ouffrance en les faisant siennes en qualité de Père
our les donner à Jésus ? Bref, cette œuvre et cette
ouffrance l'affectent-elles intimement lorsqu'il les
écide, lorsqu'il les forge dans son plan ? Y met-il
out son amour de Père ? Il semble que, pour qu'il y
ait don au sens plénier, une réponse affirmative doit
être faite. Comment d'ailleurs pourrait-on admettre

qu'en réalisant son œuvre dans le Christ, le Père ne
s'y engage pas personnellement ?

Mais cette réponse demande à être confirmée par
les indications d'autres textes évangéliques.

L'action de l'Esprit Saint

L'action de l'Esprit Saint apparaît dans le récit
évangélique du baptême. L'Esprit descend sur Jésus
en vue de l'accomplissement de sa mission. L'importance essentielle de ce don initial de l'Esprit, qui résulte de l'épisode lui-même, est soulignée plus expressément par l'évangile de Jean : ce don distingue et
désigne le véritable Messie aux yeux de Jean-Baptiste,
car le Messie est celui qui est destiné à baptiser dans
l'Esprit Saint (Jn 1, 32-33).

Le rôle propre du Saint Esprit est mentionné
après le baptême : c'est l'Esprit qui conduit Jésus au
désert. Marc souligne la puissance ou même la violence de cette action : « Aussitôt l'Esprit le pousse au
désert » (1, 12). Plus littéralement on pourrait traduire : « L'Esprit le chasse ». L'indication a le mérite
d'attirer l'attention sur le fait que l'action de l'Esprit
Saint est spécifique et possède ses propres caractéristiques.

Après le séjour au désert, c'est en vertu de la
puissance de l'Esprit que Jésus, nous dit Luc, revient
en Galilée. Cette puissance commande l'activité publique. Dans la synagogue de Nazareth, Jésus lui-même
affirme le rôle de l'Esprit Saint dans sa propre mission en s'appliquant l'oracle d'Isaïe : « L'Esprit du
Seigneur est sur moi, parce qu'il m'a consacré par
l'onction. Il m'a envoyé porter la bonne nouvelle aux

pauvres, annoncer aux captifs la délivrance et aux aveugles le retour à la vue, rendre la liberté aux opprimés, proclamer une année de grâce du Seigneur » (Lc 4, 18-19).

C'est dire que toute son activité s'exerce sous l'influence de l'Esprit, et que la puissance de celui-ci est tout entière orientée dans le sens d'un amour libérateur. Dans le récit du baptême, le symbole de la colombe évoquait déjà l'amour miséricordieux qui apporte la paix. Ici, selon la prophétie, l'accent est mis sur l'impulsion qui conduit Jésus vers les plus déshérités, les pauvres, les captifs, les aveugles, les opprimés.

Possédons-nous dans les textes évangéliques une indication sur l'engagement de l'Esprit Saint dans le drame de la Passion ? Nous n'en avons que des attestations indirectes.

Il y a d'abord le principe que l'engagement de l'Esprit Saint dans la mission publique du Christ a dû se consommer dans l'achèvement de cette mission, par la Passion et la Résurrection. En poussant Jésus dans la voie de l'amour libérateur, il l'a conduit au sacrifice qui devait obtenir la libération de l'humanité.

En outre, Jésus a « tressailli de joie dans l'Esprit Saint », lors de l'action de grâces qu'il a adressée au Père pour la foi des tout petits (Lc 10, 21). On doit donc se demander si ce n'est pas dans l'Esprit Saint qu'il a souffert de se sentir abandonné par le Père. Si la joie de la rencontre du Père dans sa vie terrestre vient de l'Esprit, il semble que parallèlement, la douleur de l'absence du Père doit être éprouvée sous l'influence de l'Esprit.

Plus suggestive en ce domaine est l'affirmation

de la lettre aux Hébreux : ce qui fait la valeur du sacrifice rédempteur et lui fait produire une rédemption éternelle, c'est que le Christ « par un Esprit éternel s'est présenté lui-même à Dieu » (9, 14). L'offrande du Fils a été portée par l'Esprit Saint au Père [12]. Ce rôle de l'Esprit qui présente le Fils au Père a trouvé un symbole dans la description de la mort par l'évangile de Jean : « ayant incliné la tête, il rendit l'esprit » (19, 30).

On ne pourrait méconnaître par conséquent l'engagement de l'Esprit Saint dans la Passion. On imaginerait difficilement qu'en animant l'offrande douloureuse du Christ, l'Esprit est resté exempt de toute compassion. Mais en raison de la discrétion de la révélation en ce domaine, il appartient à la réflexion théologique de scruter ce qu'implique pour l'Esprit Saint la participation à l'offrande du sacrifice.

B. L'engagement du Père
dans la mission du Christ

1 — L'ENVOI DU FILS PAR LE PERE

Il nous faut revenir à l'engagement du Père, pour

12. Il semble que plutôt que de désigner la nature divine du Christ (C. SPICQ, *Epître aux Hébreux*, Paris 1953, II, 258) l'Esprit éternel désigne l'Esprit Saint, car l'auteur a mentionné plusieurs fois dans sa lettre l'Esprit Saint, et il vient d'en parler encore peu auparavant. L'Esprit est appelé éternel pour montrer que l'effet du sacrifice est une rédemption éternelle, acquise une fois pour toutes.

e considérer plus attentivement dans ce qu'il a de particulier.

Puisque dans le mystère trinitaire il est origine du Fils et de l'Esprit, le Père est au départ de toute l'œuvre du salut. C'est lui qui en a pris l'initiative, en envoyant son Fils. Il est la première personne divine à s'engager dans l'Incarnation.

Que signifie plus exactement cet engagement ? L'envoi du Fils par le Père implique la souveraineté du Père, qui commande toute l'opération. Jésus ne cesse de se reporter au geste primordial du Père qui l'a envoyé : jamais il ne se présente comme venant simplement de lui-même, par sa seule autorité. Il s'appuie constamment sur la volonté dominante du Père. Quand il déclare envoyer en mission ses disciples, il rappelle que lui-même a été envoyé par le Père, et qu'il veut imiter, prolonger ce geste initial.

Cependant, lorsqu'on reconnaît que le Père a l'initiative, on ne pourrait se le représenter comme un souverain absolu qui déciderait d'envoyer un messager en demeurant personnellement indifférent à cet envoi. C'est en sa qualité de Père qu'il envoie son Fils, et il y engage son amour paternel.

Dans le cadre des relations humaines, envoyer quelqu'un, c'est se séparer de lui pour qu'il puisse s'acquitter d'une tâche à un autre endroit, auprès d'autres personnes. Il y a une réalité analogue à cette séparation dans l'envoi du Fils par le Père : le Fils est envoyé « ailleurs », et la différence de condition, de milieu, est bien marquée par la phrase de Paul : « Lorsque vint la plénitude du temps, Dieu envoya son Fils, né d'une femme, né sous la loi... » (Ga 3, 4). Le Père s'est imposé à lui-même une certaine séparation :

Paul veut souligner la valeur de l'amour qui a inspiré cet envoi, amour mesuré en quelque sorte par l'immense distance parcourue.

Plus éclairante encore sur les sentiments du Père est la parabole des vignerons homicides. Après avoir envoyé inutilement beaucoup de serviteurs, le maître de la vigne « avait encore son unique, son fils bien-aimé ; il l'envoya finalement vers eux... » (Mc 12, 6). Le contraste entre l'envoi des serviteurs et l'envoi du fils est souligné : le fait que le fils soit unique et bien-aimé montre à quel point le père, tout en décidant cet envoi ultime, a dû en être affecté[13]. Tout l'amour du père s'était concentré sur cet « unique ».

L'envoi de l'Incarnation implique donc de la part du Père un engagement qui n'est pas seulement acte souverain de volonté, mais aussi amour paternel qui accepte à ses propres dépens de donner le Fils. C'en est déjà assez pour conclure que le Père n'a pu demeurer totalement indifférent, impassible, dans cet envoi : une totale impassibilité ne pourrait rendre compte du geste qui constitue le sommet de la parabole des vignerons homicides, l'envoi de l'unique, du fils bien-aimé.

2 — L'AMOUR DU PERE ET L'APPRENTISSAGE DE JESUS

A plusieurs reprises, nous trouvons dans l'évangile de Jean l'affirmation que le Père aime Jésus. Cet

---

13. W. GRUNDMANN (*Das Evangelium nach Markus*, Berlin 1968, 240), commentant l'envoi du fils, écrit : « dans le fils, c'est le père lui-même qui va à leur rencontre ».

amour comporte des conséquences pour la mission de salut.

« Le Père aime le Fils, et a tout remis dans sa main » (Jn 3, 35). Il s'agit d'un amour du Père pour le Fils incarné[14] ; c'est dans la main de l'homme Jésus que tout a été remis. Dans sa mission le Christ reçoit tout du Père, et notamment il reçoit l'Esprit que lui-même est chargé de répandre (Jn 3, 34). L'engagement des trois personnes divines apparaît ici avec relief. Et cet engagement est dominé par l'amour que le Père porte à son Fils.

Cet amour guide toute l'action de Jésus : « Le Père aime le Fils et lui montre tout ce qu'il fait » (Jn 5, 20). On a suggéré que cette déclaration avait été accompagnée originairement d'une parabole où Jésus décrivait un apprentissage : comme un père terrestre montre à son fils l'art d'un métier, le Père montre à Jésus tous les secrets de son activité[15]. Jésus agit donc comme le Père lui-même : ce que le Père fait, « le Fils le fait pareillement » (5, 19). Pour justifier la guérison opérée le jour du sabbat, il affirme que s'il travaille ce jour-là, c'est en sa qualité de Fils

14. A. Feuillet interprète cet amour de l'amour éternel du mystère trinitaire : « Le verbe "aimer" est au présent, ce qui suggère que le Fils est aimé par le Père d'une manière permanente, de toute éternité en sa qualité de Fils unique. » (*Le mystère de l'amour divin dans la théologie johannique*, Paris 1972, 41). Cependant le temps présent semble plutôt indiquer un amour qui se porte actuellement vers le Fils, donc vers le Fils dans son état présent d'incarnation. Il est vrai que cet amour actuel implique un amour éternel, mais celui-ci ne paraît pas directement exprimé.

15. Cf. C.H. DODD, *Une parabole cachée dans le quatrième évangile*, Revue d'Histoire et de Philosophie religieuse, 42 (1962) 107-115.

unique. » (*Le mystère de l'amour divin dans la théolo
gie johannique*, Paris 1972, 41). Cependant le temps
présent semble plutôt indiquer un amour qui se porte
actuellement vers le Fils, donc vers le Fils dans son
état présent d'incarnation. Il est vrai que cet amour
actuel implique un amour éternel, mais celui-ci ne
paraît pas directement exprimé, parce que son Père
ne cesse jamais de travailler. C'est l'exemple même
du Père qui l'autorise à dépasser les conceptions jui
ves du repos du sabbat, et à corriger l'impression
qu'on pouvait retirer du récit de la création de l'uni
vers, où le septième jour avait été marqué par le
repos du Créateur et était présenté comme l'inaugu
ration du sabbat (Gn 2, 2-3).

Le principe que Jésus a formulé au sujet d'un mi
racle de guérison a une valeur universelle pour toute
sa mission : tout ce que le Fils accomplit dans sa mis
sion terrestre est ce que le Père lui-même accomplit,
et ce qu'il lui apprend à faire. Ce principe jette une
lumière sur la Passion ; l'acte essentiel du sacrifice,
où se consomme la mission terrestre du Christ, est
un de ces actes que le Fils a dû apprendre du Père.
Au moment du Calvaire, le Christ a fait ce que le Père
fait en personne. Selon le principe, il faut donc ad
mettre que si le Christ s'engage dans la voie du
sacrifice, c'est parce que le Père le premier s'y est
engagé. Nous ne cherchons pas encore à préciser ici
en quoi consiste cet engagement du Père dans le sacri
fice, mais au moins nous devons admettre que Jésus
a appris du Père la voie de la Passion. Dans son
amour, le Père a voulu que son Fils incarné le suive
en une voie que mystérieusement, lui, le premier,
avait frayée.

On n'a pas assez appliqué au drame du Calvaire l'affirmation si suggestive de Jésus : « Le Fils ne peut rien faire de lui-même, s'il ne le voit faire au Père » (Jn 5, 19). Si l'action de Jésus renverse les préjugés juifs au sujet de l'immobilisme d'un sabbat qui s'imposerait même à Dieu, ne les renverserait-elle pas au sujet de la conception immobiliste d'un Dieu incapable de s'engager dans la voie de la souffrance ?

La parabole — ou tout au moins l'image de référence — de l'apprentissage d'un fils auquel son père enseigne son propre métier, prend ici tout son relief. S'il y a un domaine où l'apprentissage humain est particulièrement délicat et ne doit cesser de se perfectionner, c'est celui de l'accueil de la souffrance. Le Christ n'a pas été jeté à l'improviste dans le drame rédempteur ; il y a été introduit peu à peu par le Père qui le précédait sur la voie douloureuse.

Autant Joseph avait été tout désigné pour apprendre à Jésus le métier d'artisan [16], et lui avait communiqué tout ce qu'il possédait d'habileté et de compétence en ce domaine, autant le Père est celui qui éduque Jésus dans sa mission publique, et plus spécialement dans la phase douloureuse de cette mission.

3 — L'AMOUR DU PERE ET L'OFFRANDE DE LA VIE

Une affirmation de l'amour du Père concerne plus

---

16. On peut supposer, conclut Dodd (*Une parabole*, 115), « que notre passage contient une réminiscence des propres paroles du Maître, où se reflète le souvenir des années de jeunesse passées à apprendre son métier dans l'atelier familial de Nazareth ».

directement la Passion : « Voilà pourquoi le Père m'aime : c'est que j'offre ma vie, pour la prendre de nouveau » (Jn 10, 17). Il ne s'agit plus d'un amour qui ouvre la voie à Jésus, mais d'un amour d'approbation de sa conduite : en exécutant le « commandement » du Père (10, 17), Jésus s'attire sa bienveillance.

Cependant, l'idée d'une ressemblance du comportement du Fils avec celui du Père est-elle totalement absente ? Il ne semble pas. Lorsque Jésus déclare qu'il offre sa vie, il explique sa qualité de bon pasteur : « Le bon pasteur donne sa vie pour ses brebis » (Jn 10, 11). Il vient d'affirmer qu'en cette qualité il prend modèle sur le Père : en effet il connaît ses brebis comme le Père le connaît (Jn 10, 14-15). Il s'agit d'une connaissance empreinte d'amour, liée en Jésus au don de la vie. De plus, en s'appelant bon pasteur, il prétend réaliser, dans sa vie humaine, un rôle qui, dans la prophétie d'Ezéchiel (34, 11s), avait été attribué à Yahwé. Comme dans la prophétie, Jésus parle de ceux qui, loin d'agir en bergers, ont été des voleurs et des pillards ; au lieu que ce soit Yahwé qui se propose lui-même comme berger pour remédier à cette situation, c'est lui qui affirme : « Je suis le bon pasteur » (Jn 10, 11) [17]. Il veut donc accomplir en lui ce que Dieu avait promis dans l'ancienne alliance. La qualité de bon pasteur, qui appartenait au

---

17. Le style même de l'affirmation, avec la formule « Je suis » (*ego eimi*), confirme la volonté de Jésus de s'attribuer la qualité de pasteur qui appartient à Yahwé. Cf. A. FEUILLET, *Les Ego eimi christologiques du quatrième Evangile*, RSR 54 (1966) 220 : Jésus « est le pasteur unique tout comme Yahwé dans Ezéchiel, et cela pour le motif fortement suggéré qu'il ne fait qu'un avec Yahwé ou avec Dieu le Père ».

ère, est communiquée à Jésus. Celui-ci prétend se comporter comme le Père lui-même.

Cependant, en sa qualité d'homme, il peut faire un geste de bon pasteur qui n'était pas possible au Père dans sa divinité : « donner sa vie pour ses brebis ». Le Père, qui commande ce sacrifice, ne peut en donner l'exemple. Dès lors, sur ce point, nous devons nous demander si le Père a pu précéder Jésus.

Il semble que le principe du Père comme modèle le bon pasteur embrasse toutes les attitudes de Jésus, y compris celle du don de la vie. Matériellement, un tel sacrifice ne peut s'effectuer chez le Père, mais nous devons admettre, dans la générosité le pasteur qui appartient au Père, une attitude qui a servi de modèle à Jésus pour son sacrifice.

S'il y a une réelle nouveauté dans le bon pasteur qu'est Jésus, en raison de l'Incarnation, cette nouveauté trouve néanmoins dans le Père lui-même sa première justification. Disons qu'il y a une attitude intime du Père qui est à l'origine de l'atttitude intime du Christ dans son sacrifice de pasteur. Jésus, qui reçoit tout du Père, n'a pu avoir le comportement d'offrande généreuse de sa vie que parce que le Père avait eu un premier comportement mystérieusement analogue.

C'est cette position de modèle tenue par le Père qu'indique Jésus dans le discours après la Cène : « Comme le Père m'a aimé, moi aussi je vous ai aimés » (Jn 15, 9). Le Père constitue l'exemple que Jésus a suivi dans son amour pour les hommes, et plus précisément dans l'amour suprême par lequel il a donné sa vie pour ses amis. L'affirmation : « je vous ai aimés » se réfère à l'amour manifesté dans la Passion. L'amour du Père pour Jésus, présenté ici

comme le premier modèle, implique l'amour que l[e]
Père porte aux hommes.[18] Ainsi s'explique le fait qu[e]
dans la formulation du nouveau précepte de la char[i-]
té universelle, Jésus indique le Père comme exempl[e]
à suivre par ses disciples : « Aimez vos ennemis.
Ainsi serez-vous fils de votre Père qui est aux cieu[x]
car il fait lever son soleil sur les méchants et les bon[s]
et tomber la pluie sur les justes et les pervers
(Mt 5, 45). A première vue, on pourrait penser qu[e]
cet amour universel du Père est étranger au context[e]
de la Passion. Cependant, la mention de la bonté d[u]
Père à l'égard des méchants et des pervers ne pourra[it]
faire abstraction du grand témoignage de bienve[il-]
lance envers les pécheurs qu'est l'œuvre rédemptric[e]
La conclusion de Luc est plus explicite à cet égard
« Devenez miséricordieux, comme votre Père est mis[é-]
ricordieux » (Lc 6, 36).

Lorsque Jésus dit à ses disciples : « Aimez-vou[s]
les uns les autres comme je vous ai aimés » (Jn 1[3,]
34 ; 15, 12), il se donne immédiatement lui-mêm[e]
comme modèle de la charité, mais c'est un modèl[e]
qui a lui-même un modèle : le Père. Si l'amour d[e]
montré par le Christ dans le sacrifice du Calvaire es[t]
l'exemple définitif que les chrétiens sont invités [à]
imiter, cet amour vient en premier lieu du Père.

Ainsi l'a compris Paul : « Dieu prouve son amou[r]
pour nous de cette façon : alors que nous étions e[n]

18. Feuillet observe qu'en ce passage « l'amour du Père pour l[e]
    Fils inclut nécessairement l'amour du Père pour les homme[s]
    Et l'on doit dire également que l'offrande par le Christ d[e]
    sa propre vie est la grande révélation qu'il fait aux homme[s]
    de l'amour du Père pour eux » (*Le mystère de l'amour divi[n]*
    55).

ore pécheurs, le Christ est mort pour nous » (Rm 5, 8).
'amour du Sauveur pour les pécheurs, avec le sa-
rifice qu'il comporte, est un don du Père.

De cette affirmation essentielle de Paul, comme
es affirmations du quatrième évangile, nous pou-
ons conclure qu'à l'origine de l'amour du Christ
our les hommes, il y a l'amour du Père pour Jésus
t pour l'humanité. Dès lors, dans le Père, n'y a-t-il
as un premier geste mystérieux d'amour qui se sa-
rifie ? Comment l'amour du Père pourrait-il être mo-
èle des sacrifices impliqués dans la charité, si le
on de son Fils ne lui avait rien coûté ?

— L'INTIMITE DU PERE ET DE JESUS

Les diverses déclarations johanniques au sujet de
intimité du Fils et du Père nous permettent de mieux
erner le mode selon lequel le Père entre dans la vie
rrestre de Jésus.

a) L'appartenance mutuelle

Un premier aspect de cette intimité consiste dans
appartenance mutuelle : « Tout ce qui est à moi est
toi, et tout ce qui est à toi est à moi » (Jn 17, 10).
elon le contexte, dans la prière sacerdotale, l'affir-
ation vise particulièrement les hommes que le Père
donnés à son Fils, et que le Fils remet dans la
ossession du Père : « Je prie... pour ceux que tu
'as donnés, car ils sont à toi... » (Jn 17, 9). Cepen-
ant le principe de l'appartenance mutuelle est énoncé

avec une portée générale : « tout ce qui est à moi... »

Dans tout ce qui appartient à Jésus, on trouv
la richesse de sa vie humaine, richesse de pensé
de sentiments, d'émotions, de décisions, d'activit
Cette richesse humaine est la possession propre à l
personne du Fils, la seule à assumer comme sien
la nature humaine, la seule à penser, sentir, vouloi
agir humainement. Mais tout ce qui est humain e
Jésus appartient au Père en vertu de l'intimité q
unit les deux personnes.

L'appartenance mutuelle revêt une forme diff
rente de ce qu'elle est dans le mystère de la Trinit
considéré en lui-même. La nature divine appartiei
au Père et au Fils, en étant identique et commune au
deux. La nature humaine de Jésus reste proprié
personnelle du Fils, et elle ne peut appartenir au Pè
qu'au titre de relations d'amour. Vivant pour le Pèr
Jésus lui offre toute son existence humaine, la rem
entre ses mains. Il partage ainsi avec le Père le d
roulement intime de sa vie.

L'appartenance a concerné les sentiments pénible
notamment ceux de la Passion. Le drame vécu par l
Sauveur au moment du Calvaire a dû être partag
d'une certaine manière par le Père. Tout le Fils i
carné appartient au Père, jusque dans le fond d
souffrance atteint sur la croix. C'est cette appart
nance que Jésus a exprimée une dernière fois au m
ment de sa mort, en remettant son esprit dans le
mains du Père (Lc 23, 46).

Au Père appartient donc la Passion du Chris

19. Il semble qu'il y ait ici une intention nette d'élargir
    pensée » (C. K. BARRETT, *The Gospel according to St Joh*
    London 1962, 423).

u titre des relations d'amour les plus intimes. La
assion, soulignons-le, demeure Passion personnelle
lu Fils, mais étant au Christ, elle est au Père. Si cette
ppartenance n'est pas seulement nominale mais réelle,
lle implique que le Père a fait sienne, dans son amour
aternel, la douleur se son Fils crucifié.

b) L'immanence réciproque

Dans l'évangile de Jean, nous trouvons l'affirma-
ion de l'immanence réciproque : « Le Père est en
noi, et je suis dans le Père » (Jn 10, 38). Le principe
st énoncé à propos des œuvres, et il le sera une
nouvelle fois dans le texte de 14, 10, déjà cité : le
Père, qui est en Jésus, accomplit ses œuvres. Cepen-
lant il déborde le domaine de l'activité, car dans le
lialogue, Jésus veut montrer qu'il est Fils de Dieu ;
l attribue à l'immanence mutuelle la valeur la plus
orte, dans sa réponse à ceux qui auraient voulu le
apider parce qu'étant homme il s'érigeait au rang
le Dieu (10, 33).

On devrait donc parler d'une incarnation de la
présence du Père en Jésus, mais en maintenant tou-
ours la distinction entre cette présence et celle du
Fils dans l'humanité. Seul le Fils est présent d'une
açon humaine parmi les hommes, en assumant une
nature humaine ; seul il réalise l'incarnation en ce
sens strict. Mais le Père devient présent aux hommes
d'une manière plus proche, en demeurant dans son
Fils incarné.

Cette présence est une présence essentiellement
dynamique, par laquelle le Père meut toute l'activité
le Jésus, puisque ce sont les œuvres qui attestent la

présence : « Croyez en ces œuvres, afin que vous sa
chiez et connaissiez que le Père est en moi et que je
suis dans le Père. » Ce ne pourrait donc être la pré
sence d'un spectateur qui voit se dérouler une vie à
laquelle il ne participe pas. La présence du Père
implique un engagement complet dans la vie de Jésus

Or, s'il faut reconnaître cette présence, on doit
l'admettre pour toute la durée de sa vie terrestre, et
pour toutes les circonstances qui l'ont marquée. On
ne peut donc l'exclure pour le temps de la douleur
Le Père est présent en Jésus jusque dans son supplice
Pourrait-il rester entièrement étranger à ce supplice ?
On pourrait difficilement prétendre qu'il est demeuré
dans son Fils crucifié en maintenant une absolue in
sensibilité à la souffrance. Une insensibilité complète
ne contredirait-elle pas la volonté du Père d'être pré
sent dans toute la vie humaine du Christ ?

Bien plus, si la présence du Père est dynamique
et commande toute l'œuvre de Jésus, ne doit-on pas
admettre que la grande œuvre de la Passion est une
entreprise du Père présent dans son Fils ? Cette pré
sence signifie donc un engagement prioritaire dans
la voie de la douleur. De l'intérieur, le Père est celui
qui a mené son Fils dans cette voie. Il a entraîné
Jésus dans le drame, en y entrant lui-même le
premier.

L'affirmation de la présence vaut encore pour la
déréliction. Lorsque Jésus se plaignait d'être aban
donné, le Père demeurait en lui. On devrait même
parler d'un sommet de la présence du Père, en ce
sens qu'à cet instant le Père consommait dans son
Fils l'œuvre du salut. On concevrait difficilement que

cette présence dans le Christ douloureux n'ait comporté pour le Père aucun retentissement douloureux.

c) La communion

Un troisième aspect de l'intimité de Jésus et du Père consiste dans la communion ; après les expressions « être à quelqu'un », et « être dans quelqu'un », il y a l'expression « être avec quelqu'un ». On la trouve dans une déclaration qui vise expressément la Passion. Evoquant l'heure où il sera laissé seul par ses disciples, Jésus ajoute : « mais je ne suis pas seul, parce que le Père est avec moi » (Jn 16, 32). Cette compagnie du Père garantit au Christ l'assurance de sa victoire sur le monde. Elle éclaire la déréliction, en indiquant que la solitude de Jésus dans la Passion est en réalité remplie d'amitié paternelle, même sous les apparences d'une absence [20]. Quel sens doit-on attribuer à cette affirmation : « Le Père est avec moi » ? Uniquement le sens d'un réconfort ou d'un soutien apporté par le Père pour lui garantir la victoire ? Ne pouvant être détachée des autres affirmations sur l'intimité du Père et du Fils, elle paraît signifier la communion la plus profonde du Père avec Jésus dans la Passion.

C'est encore ce que souligne l'unité du Père et du Fils : « Moi et le Père nous sommes un » (Jn 10, 30 ; cf 17, 11). Le terme « un », qui signifie « une seule

---

20. « Il est possible, dit Barrett (*St John*, 415), que Jean combat ici une mauvaise interprétation de Marc 15, 34. Toutes les œuvres de Jésus, y compris la plus grande, étaient accomplies en harmonie et communion avec le Père ; son isolement n'était qu'apparent. »

chose », « un seul être », suggère une identité de na
ture. Mais cette unité est regardée par Jean comme
le modèle de l'unité des chrétiens (Jn 17, 21). C'est
donc une unité qui se constitue par la réunion des
personnes dans l'amour. Même si la nature divine
ne souffre pas, les personnes du Père et du Fils sont
dans la communion la plus foncière, notamment au
moment du drame de la Passion. En citant l'unité
du Père et du Fils comme fondement de celle de ses
disciples, Jésus ne pourrait mettre entre parenthèses
la période la plus douloureuse de sa vie terrestre,
comme si en ces circonstances l'unité la plus intense
ne pouvait se vérifier. Au contraire, dans la prière
sacerdotale, il pense plus spécialement à cette union
indissoluble qui le lie au Père dans l'épreuve. Or que
serait pareille unité si le Père était complètement
étranger à la souffrance de son Fils ? La communion
des personnes doit normalement atteindre un sommet
dans des heures douloureuses.

Si l'union du Père et du Fils s'arrêtait en-deçà de
l'épreuve, et si elle ne comportait pas une certaine
participation du Père à la Passion de Jésus, comment
pourrait-elle avoir valeur d'exemple pour les unions
entre les hommes, dont une caractéristique essentielle
est la compassion dans la douleur ? Modèle parfait
de toute union chez les créatures, l'union du Père et
du Fils ne doit-elle pas présenter une perfection de
communion dans le drame du Calvaire ?

Soulignons que les relations d'appartenance mutuelle, d'immanence, de communion exprimées par
l'évangile de Jean concernent toujours le Fils incarné.
Ces relations permettent sans doute d'émettre des
conclusions sur les rapports intimes des personnes

divines dans la Trinité. Mais ce qui est directement affirmé par les textes, c'est l'appartenance, l'immanence et la communion qui existent entre le Père et Jésus. Tout ce qu'il y a d'humain dans le Christ est engagé dans ces relations, et par conséquent la souffrance, aspect particulièrement important de l'existence humaine.

— LA REVELATION DU PERE PAR LE FILS

Si la communion du Père et du Fils implique un engagement du Père dans la Passion, la révélation du Père par le Fils le fait apparaître plus nettement encore.

Rappelons comment cette révélation est formulée dans le prologue johannique : « Dieu, personne ne l'a jamais vu. Le Fils unique, lui qui est dans le sein du Père, l'a raconté » (Jn 1, 18). Il faut noter que la révélation faite par le Christ n'est pas présentée comme un complément donné à une connaissance antérieure. La loi avait certes été donnée par l'entremise de Moïse, mais la vérité « s'est faite par Jésus-Christ » (1, 17)[21]. Le Christ nous apporte la vérité sur Dieu lui-même parce qu'il est la vérité[22] : il est la première

21. Cf. S. A. PANIMOLLE, *Il dono della Legge e la Grazia della Verità* (*Gv 1, 17*), Rome 1973. L'auteur insiste sur le fait que la vérité est un don divin, une grâce, en rendant l'expression johannique « la grâce et la vérité » par « la grâce de la vérité ». Cette traduction ne reconnaît pas suffisamment l'ampleur de la grâce, qui déborde celle de la vérité ; mais en ce qui regarde la vérité, elle souligne justement son caractère de révélation gratuite.

22. Cf. I. de la POTTERIE, *Gesù Verità*, Torino 1973.

révélation concrète de Dieu, d'un Dieu que personne
n'a jamais vu, et que personne ne peut donc prétendre
connaître, si ce n'est celui qui vit « dans le sein du
Père », c'est-à-dire dans son intimité : le Fils.

De l'affirmation johannique, on peut dégager un
principe de grande importance pour toute l'élabora-
tion de la théologie. Si la vérité de Dieu apparaît dans
le Christ, c'est le Christ lui-même qui est le premier
critère de toute doctrine au sujet de Dieu. On ne
pourrait poser a priori une autre doctrine, appuyée
sur la philosophie ou encore sur les indications de
l'Ancien Testament, et ne retenir de la révélation du
Christ que ce qui est conforme à cette doctrine préalable. Seul le Christ nous fournit l'image authentique
de Dieu.

Ce qui caractérise cette révélation, c'est que Jésus
fait « voir » le Père. « Vous l'avez vu », n'hésite-t-il
pas à dire à ses disciples (Jn 14, 7). Ceux-ci n'ont
donc pas à lui demander, par la voix de Philippe :
« Montre-nous le Père ». La réponse à cette demande
est très nette : « Depuis si longtemps je suis avec
vous, et tu ne m'as pas connu, Philippe ? Celui qui
m'a vu a vu le Père » (Jn 14, 8-9). Toute la familiarité
que le Christ a entretenue avec ses disciples leur a
donc permis de le connaître, et ainsi de voir le Père.

Le terme « voir » est lié, dans le vocabulaire johannique, au mystère de l'Incarnation. Quand il s'applique à Dieu même, il ne peut avoir le simple sens
d'une vue matérielle, par les yeux de la chair. Il signifie cependant que la connaissance de Dieu, telle que
nous l'offre Jésus, n'est pas une connaissance abstraite et discursive, mais une vue bien concrète. Dans
la vie humaine de Jésus, Dieu s'est mis sous le regard

des hommes ; il se fait voir de la manière dont un homme se fait voir.

L'expression employée par le Prologue, « raconter », doit s'entendre dans le sens le plus large. Il ne s'agit pas seulement de paroles. Jésus a raconté le Père par toute son existence terrestre. Sa vie humaine, avec ses pensées, ses sentiments, ses attitudes et ses actions, a été comme un long récit sur Dieu. Tous les traits de son visage tendaient à faire apparaître le visage du Père. Ceux qui vivaient en compagnie de Jésus pouvaient lire Dieu dans toute sa manière de penser et d'agir.

Le principe de l'impassibilité divine peut-il imposer des restrictions à cette révélation ? En vertu de ce principe, faudrait-il refuser une valeur révélatrice aux émotions, sentiments et pensées où s'exprime la souffrance, et nier que le visage douloureux du Sauveur puisse montrer le visage du Père ? Il n'y a pas, nous l'avons observé, un principe de connaissance de Dieu préalable au Christ, qui puisse annuler ni restreindre la valeur révélatrice de tout ce que le Christ a été. Jésus n'a mentionné aucune limite à sa déclaration : « Celui qui m'a vu a vu le Père ». Tout l'homme, en lui, révèle Dieu.

Le Christ sacrifié ne fait pas moins voir le Père que le Christ qui enseigne aux disciples et aux foules. Si lui-même a considéré son sacrifice comme l'acte suprême de sa vie, en disant qu'« il n'y a pas de plus grand amour que de donner sa vie pour ses amis » (Jn 15, 13), on ne comprendrait pas que dans cet acte il ne puisse révéler le Père. Ce qui est un sommet dans son existence humaine doit être un sommet dans sa révélation. S'il en est ainsi, la souffrance du

Calvaire a été la plus éloquente leçon donnée par Jésus sur les sentiments divins.

Ici plus spécialement s'applique ce qui a été dit dans le prologue de Jean : Celui qui « a raconté » est celui qui est « dans le sein du Père », c'est-à-dire celui qui, jouissant de la plus profonde intimité avec le Père, connaît ce qu'il y a de plus profond, de plus caché, dans les sentiments et dispositions du Père. C'est cette profondeur mystérieuse que Jésus avait conscience d'exprimer, de manifester dans son sacrifice.

C. L'engagement du Père dans la Passion

Nous entrons plus directement dans le problème du rôle du Père dans la Passion de Jésus. Nous avons considéré l'engagement plus général du Père dans la vie terrestre de son Fils, et il nous reste à préciser davantage de quelle nature a été cet engagement au moment de la Passion.

1 — L'INITIATIVE DU PERE

a) Le Père « n'a pas épargné » son Fils

Lorsque Paul veut indiquer les motifs de confiance fondés sur le dessein divin de salut, il proclame que Dieu est « pour nous ». « Lui qui n'a pas épargné son propre Fils mais l'a livré pour nous tous, comment avec lui ne nous donnera-t-il pas toutes choses ? » (Rm 8, 32).

De soi l'expression suggère un sacrifice de la part

du Père. « Ne pas épargner » ne pourrait être entendu ici d'une colère divine qui s'abattrait sur Jésus, puisque Dieu est « pour nous ». Il s'agit d'un amour paternel qui n'hésite pas à sacrifier son propre Fils, et qui, du fait qu'il a consenti à ce sacrifice, ne peut plus rien nous refuser.

L'indication du sacrifice est confirmée par l'allusion au récit de l'immolation d'Isaac. Dans ce récit, Abraham apparaissait comme celui qui n'avait pas « épargné son fils unique », et qui pour ce motif avait été comblé des bénédictions divines (Gn 22, 12. 16). L'allusion de Paul était facilement discernable, parce que la narration du sacrifice d'Isaac avait été reprise dans la tradition targumique, jouait un rôle dans la liturgie juive, et était mise en rapport avec la Pâque [23].

Dans la tradition targumique, comme d'ailleurs dans le judaïsme palestinien et hellénistique, la valeur de l'attitude d'Abraham, qui consent à sacrifier son fils, était particulièrement soulignée. Ainsi, Philon vantait les qualités d'Isaac pour mieux justifier le grand amour d'Abraham pour son fils, et montrer la grandeur du sacrifice. Il mettait également en lumière la force d'âme d'Abraham qui lors de la demande d'Isaac : « Où est la victime ? » n'avait pas fondu en larmes. Il appelait Isaac fils « unique et bien-aimé » [24].

En faisant allusion au geste d'Abraham qui n'avait

23. Sur la relation du récit du sacrifice d'Isaac avec la Pâque, cf. I. LEVI, *Le sacrifice d'Isaac et la mort de Jésus*, *Revue des études juives* 64 (1912) 161-184 ; H. RIESENFELD, *Jésus transfiguré*, Copenhague 1947, 89 n. 47 ; G. VERMES, *Scripture and Tradition in Judaïsm*, *Studia post-biblica*, IV, Leiden 1961, 215 ; R. LE DEAUT, *La nuit pascale*, Rome 1963, 110-115, 133-208.

24. *De Abr.* 168 ; cf. LE DEAUT, *La nuit pascale*, 196.

pas épargné son propre fils, Paul attire l'attention sur l'initiative du Père dans le sacrifice. Ce qui est remarquable dans le récit de la Genèse, c'est que le sacrifice est avant tout accompli par le père, même si le fils est la victime. Dans les commentaires et amplifications de la tradition juive subséquente, l'accent avait été mis de plus en plus sur l'attitude d'acceptation ou d'offrande prise délibérément par Isaac, mais néanmoins c'était toujours l'amour d'Abraham pour son fils qui dominait la scène.

Paul ne considère par le personnage d'Isaac : du récit du sacrifice, il ne retient que le geste du père. Et dans ce geste il ne contemple pas la foi et l'obéissance qui avaient caractérisé Abraham et avaient constitué le mérite de son offrande, mais seulement le fait qu'il n'a pas épargné son fils et l'a livré à la mort. C'est dire qu'il retient uniquement ce qui peut s'appliquer au Père de Jésus.

Or l'application est extrêmement suggestive, car elle se concentre sur la douleur assumée par l'amour d'un père qui sacrifie son fils. Sans doute Paul n'a-t-il pas développé toutes les implications de sa pensée, mais pour indiquer la force de l'amour du Père à notre égard, il avait besoin d'insister sur le sacrifice intime que le Père a consenti pour nous. La profondeur de la douleur paternelle, voilée mais réelle, atteste l'immensité de l'amour.[25]

Si l'on peut dire que dans le judaïsme le sacrifice d'Abraham a été regardé comme un prototype de sacrifice, voici qu'il prend dans le christianisme sa

---

25. « La douleur de l'amour du Père manifeste la grandeur du sacrifice » (O. MICHEL, *Der Brief an die Römer*, Göttingen 1955, 184, n. 2).

)leine valeur de figure, en évoquant le prototype su-
)rême de tout sacrifice. Il est vrai qu'on ne peut
ippliquer intégralement au Père la notion cultuelle
le sacrifice ; en effet le sacrifice consiste dans une
)ffrande adressée à Dieu, ce qui ne peut se vérifier
lu geste du Père qui donne son Fils. On doit donc
:orriger le concept du sacrifice, puisque d'une certaine manière il est retourné : au lieu d'être un hommage à Dieu, c'est un geste d'offrande de Dieu
lui-même.

Encore doit-on observer que tout aspect d'offrande au Père n'est pas nécessairement supprimé.
Comme le sacrifice consistait pour Abraham dans
l'immolation de son fils, le sacrifice du Père consiste
à « livrer » son Fils à la mort. Si l'offrande du Fils
vient du Père, elle retourne également au Père. Le
trait essentiel est que le Père fournit lui-même la victime du sacrifice, et que cette victime est son Fils.

L'idée de souffrance doit, elle aussi, être corrigée
lorsqu'elle est appliquée au Père : il y a une ressemblance entre la douleur d'Abraham et celle du Père,
mais il y a aussi entre ces deux douleurs la distance
qui existe entre l'homme et Dieu, de telle sorte qu'on
ne peut parler de souffrance de Père qu'en ayant
conscience de cette différence considérable, et de l'infirmité d'un vocabulaire qui ne parvient pas à la
souligner suffisamment.

Cependant, en invoquant cette différence, on ne
pourrait enlever du texte de Rm 8, 32 toute idée de
souffrance du Père. L'image d'Abraham conserve sa
vérité : un père qui n'épargne pas son propre fils
inflige à son propre amour paternel une souffrance
très intime.

Bien plus, on ne peut méconnaître la force plus grande de l'action de ne pas épargner lorsqu'il s'agit du sacrifice de Jésus. Abraham n'avait pas épargné son propre fils, mais il n'avait pas dû aller jusqu'à l'immolation elle-même. Son bras avait été arrêté au dernier moment par la volonté divine. En livrant son Fils à la mort, le Père n'arrête pas son propre bras.

Dans le récit du sacrifice d'Isaac, on discerne d'ailleurs l'intention de condamner les sacrifices humains de premiers-nés ; si l'épisode n'a guère eu d'écho dans les écrits de l'Ancien Testament, un des motifs a pu en être l'horreur des auteurs sacrés pour ce genre de sacrifice [26]. La description laisse en effet une impression pénible de cruauté. Cette impression fait mieux comprendre le radicalisme de l'amour du Père. Le Père s'est imposé à lui-même une douleur qui chez un père humain serait cruelle et inhumaine.

A ce point de vue, le sacrifice du premier-né ou fils unique accompli par le Père revêt un aspect mystérieux : il se situe bien au-delà de tout ce qui serait acceptable dans les offrandes cultuelles. Loin d'atténuer le scandale d'un amour souffrant du Père, cette transcendance de la réalité par rapport à l'image humaine ne fait que l'accentuer. Si dans le don de son Fils en sacrifice, le Père dépasse toutes les mesures des dons humains, c'est que son amour est incomparablement plus grand, ainsi que la douleur liée à cet amour.

Ainsi, lorsqu'on s'efforce de sonder ce qui est sous-jacent à l'affirmation de Paul, on constate que

26. LE DEAUT, La nuit pascale, 109-110.

'implication de la souffrance du Père est essentielle, t que cette souffrance doit être reconnue selon des dimensions qui dépassent celles de sa figuration humaine en Abraham.

Même le rôle de cette souffrance dans l'œuvre du salut apparaît avec un certain relief : dans le cas d'Abraham, c'était le sacrifice du fils unique qui était la source de bénédictions pour sa postérité et pour de nombreuses nations. Paul reprend cette idée de fécondité en mettant en rapport le fait pour Dieu de ne pas épargner son propre Fils, et sa disposition à nous accorder toute espèce de grâces. Le sacrifice signifie une ouverture complète de l'amour paternel de Dieu, source de tous les dons divins.

L'idée qui se cache au fond de cette perspective est que la souffrance coïncide avec un maximum d'amour, et qu'ainsi elle vaut à l'humanité l'extension la plus radicale de la générosité divine. Elle a cet effet non pas simplement à titre de souffrance, mais à titre de déploiement de l'amour, car c'est l'amour qui est responsable de la multiplication de la grâce divine.

b) Le « projet » du Christ « propitiatoire »

Le souvenir du récit du sacrifice d'Isaac est probablement sous-jacent à une autre affirmation de Paul dans la lettre aux Romains : Dieu a « prédisposé » le Christ Jésus comme propitiatoire (3, 25). Dans cette prédisposition ou ce projet divin, certains exégètes ont reconnu une réminiscence de la parole d'Abraham se-

lon laquelle Dieu avait prédisposé un agneau pour
l'holocauste (Gn 22, 8) [27].

Ici l'accent n'est plus mis sur les sentiments du
Père, sur l'amour par lequel il livre son Fils, mais
plutôt sur l'œuvre de « justification » qu'il voulait ac
complir en établissant lui-même son Fils comme ins
trument de propitiation. L'initiative du sacrifice pro
pitiatoire appartient donc au Père. Même si l'attention
se porte moins sur les dispositions intimes, il reste
que le Père prend sur lui, en quelque sorte, la charge
du sacrifice, en décidant une offrande expiatoire qui
sera celle de son Fils.

On ne peut d'ailleurs séparer les deux textes de
l'épître : ils se complètent mutuellement. Si le Père
n'a pas épargné son propre Fils, c'est parce qu'il avait
décidé de l'établir « propitiatoire » en vue de la
rémission des péchés.

Le terme « propitiatoire » aide ainsi à découvrir
toute la portée de l'amour du Père. Alors que dans
l'ancienne alliance, le propitiatoire était un objet
cultuel qui était aspergé du sang de victimes anima
les, le dessein du Père a consisté à vouloir comme
authentique propitiatoire bien plus qu'un objet et une
victime animale : son propre Fils.

Un paradoxe se cache dans cette attitude, en ce
sens que le Père, qui aurait été en droit de requérir
un sacrifice d'expiation de la part des pécheurs, four
nit son Fils pour ce sacrifice, c'est-à-dire que lui-même

27. G. KLEINS, *Studien über Paulus*, Stockholm 1918, 96 ;
H. J. SCHOEPS, *Paulus*, Tübingen 1959, 149-150 ; R. LE DEAUT
*La présentation targumique du sacrifice d'Isaac et la sotério
logie paulinienne*, Studiorum paulinorum Congressus interna
tionalis catholicus, II, Rome 1963, 571.

ssure l'expiation, la propitiation. En termes plus clairs, un sacrifice qui aurait dû s'accomplir aux dépens des hommes, s'accomplit aux dépens du Père, et cela en vertu de la volonté même du Père.

Ce qui est remarquable également dans la vue exprimée par Paul, c'est le projet divin qui domine toute l'histoire du salut, et notamment la période antérieure à la rédemption. Le propitiatoire posé par les hommes dans le temple n'était qu'une figure du propitiatoire véritable, celui que Dieu prévoyait, « pré-établissait » [28]. La décision du Père de ne pas épargner son Fils, en le plaçant comme propitiatoire, est donc la décision la plus essentielle de l'œuvre de sanctification de l'humanité, une décision prioritaire qui indique comment tout le sacrifice rédempteur s'est d'abord formé dans le cœur du Père.

Cette décision permet notamment de comprendre pourquoi dans le passé Dieu avait toléré les péchés de l'humanité, en prenant patience (Rm 3, 25-26) : cette tolérance s'expliquait par l'intention de concentrer tout le sacrifice rédempteur dans le Christ Jésus. Elle n'était pas inertie de la part de Dieu, mais contrepartie du dessein fondamental du Père, qui voulait réserver à son propre cœur paternel toute la charge de l'œuvre du salut.

Il y a tout un aspect mystérieux de l'ancienne alliance qui s'éclaire par là. La présence du propi-

28. Certains ont interprété le verbe grec (*proetheto*) au sens d'une exposition en public : « poser devant » plutôt que « poser avant » (cf. p. ex. F. PRAT, *Théologie de saint Paul*, Paris 1949, I, 245 ; S. LYONNET, dans la Bible de Jérusalem). Cependant le verbe a chez Paul le sens de « projeter » (Rm 1, 13 ; Ep 1, 9) ; et le substantif correspondant *prothesis* signifie la priorité du dessein divin (Rm 8, 28 ; 9, 11 ; Ep 1, 11).

tiatoire dans le temple de Jérusalem signifiait pour
le Père le don douloureux de son Fils. Alors que la
rémission des péchés semblait être acquise en la
fête de l'Expiation par le sang des victimes qui asper
geait le propitiatoire, elle ne pouvait l'être aux yeux
du Père qu'en vertu du sacrifice du Christ. Le Père
payait déjà le prix de la réconciliation.

c) Le sommet de l'amour divin

Dans les écrits johanniques, nous trouvons deux
affirmations parallèles à celles de Paul dans l'épître
aux Romains.

Dans l'évangile, le dialogue avec Nicodème sur
la nouvelle naissance s'achève par la description de
l'amour sauveur : « Dieu a tant aimé le monde, qu'il
a donné son Fils unique, afin que tout homme qui
croit en lui ne périsse pas, mais ait la vie éternelle »
(Jn 3, 16). Donner son fils unique, c'est le livrer à la
mort, comme l'indique la mention préalable de l'élé
vation du Fils de l'homme (Jn 3, 14). On reconnaî
dans le texte une évocation du geste d'Abraham qui
avait livré son fils unique en sacrifice [29].

L'évangile fait mieux comprendre l'intention di
vine en disant ensuite : « Car Dieu n'a pas envoyé son

---

29. Le verbe « donner » avait souvent désigné dans la tradition
juive l'acte d'Abraham livrant son fils en sacrifice (LE DEAUT,
La présentation targumique, 570). F. M. BRAUN mentionne
comme correspondance avec Gen 22 non seulement « le fait
qu'un fils chéri est livré à la mort par son père, et que
ce fils est unique », mais la promesse d'une bénédiction de
toutes les nations (*L'évangile de S. Jean et les grandes tradi
tions d'Israël*, RT 59 (1959) 445-446 ; *Jean le Théologien*, II
*Les grandes traditions d'Israël. L'accord des Ecritures d'après
le quatrième évangile*, Paris 1964, 179).

Fils dans le monde pour condamner le monde, mais afin que le monde soit sauvé par lui » (3, 17). Pour condamner le monde, il aurait suffi du Fils comme messager de la puissance divine ; dans ce cas l'envoi du Fils aurait été simplement un exercice de la souveraineté du Père. Mais l'envoi du Fils est un don, parce que Dieu a voulu sauver le monde. Le Fils vient comme messager de l'amour divin.

L'amour de Dieu pour le monde culmine dans le don du Fils ; le geste qui livre le Fils en sacrifice ne peut être pour le Père qu'un geste douloureux. Ce qui est sous-entendu dans l'affirmation, c'est que le sacrifice consenti par le Père est signe de la grandeur de son amour. La souffrance n'est pas exprimée, mais si elle n'était pas impliquée dans l'affirmation, par la référence à la douleur d'un père humain qui sacrifie son fils, l'affirmation de l'amour divin perdrait en grande partie sa valeur.

Non moins vigoureuse est l'affirmation de la première épître : « En ceci s'est manifesté l'amour de Dieu parmi nous : Dieu a envoyé dans le monde son Fils unique afin que nous vivions par lui. Voilà en quoi consiste l'amour : non pas que nous ayons aimé Dieu, mais que lui-même nous a aimés et a envoyé son Fils en propitiation pour nos péchés » (4, 9-10).

Dans le texte de l'évangile, l'amour sauveur était opposé à la condamnation. Ici il est mis en relief d'une autre manière : notre salut ne vient pas de l'amour que nous avons porté à Dieu, car nous aurions été incapables par nous-mêmes d'aimer comme il le faudrait. L'amour se trouve dans le geste de Dieu qui nous a envoyé son Fils unique.

Cet amour prend toutes ses dimensions dans l'en-

voi du Fils comme « propitiation » pour nos péchés
Dans la lettre aux Romains (3, 25), le Fils était étab[l]
« propitiatoire » ; ici il est envoyé comme « prop[i]
tiation » : c'est-à-dire qu'en vertu de la décision d[u]
Père, tout le sacrifice d'expiation s'accomplit en lu[i]
Cette décision démontre l'amour, parce que le Père
en sacrifiant son Fils, immole son propre amour pa
ternel, et témoigne ainsi sa générosité envers nous.

Bref, dans ces affirmations de l'amour de Dieu
l'idée d'une souffrance secrète consentie par le Pèr[e]
dans le don de son Fils est fondamentale. Elle n[e]
s'exprime pas en termes propres, mais elle est sous
entendue dans l'évocation de la douleur d'un pèr[e]
humain qui enverrait son fils unique au sacrifice. Pou[r]
la description du geste rédempteur du Père, amou[r]
et souffrance sont inséparables. Or ce geste rédemp
teur est la vérité capitale de toute la révélation, e[t]
par conséquent l'amour souffrant apparaît comme un[e]
disposition essentielle du Père, une disposition où i[l]
se fait plus profondément connaître de nous comm[e]
Père.

d) Le témoignage de Jésus

La correspondance entre les affirmations de Pau[l]
et celles de Jean est frappante. Elle fait penser qu[e]
sur ce point il y avait eu des déclarations faites pa[r]
Jésus lui-même, d'autant qu'il s'agit de l'aspect invi
sible de l'œuvre rédemptrice, que de simples témoin[s]
de l'existence du Sauveur n'auraient pu constater.

Il est vrai que dans l'évangile de Jean l'affirmatio[n]
de l'amour de Dieu qui a donné son Fils unique es[t]
mise dans la bouche de Jésus. Cependant l'explicita[...]

tion de style johannique à travers laquelle nous parviennent les paroles de Jésus nous invite à rechercher dans les autres évangiles, autant que possible, une affirmation plus ou moins équivalente, plus primitive dans son mode d'expression.

Plus particulièrement sur le mystère de l'amour du Père pour l'humanité, c'est à Jésus d'instruire ses disciples. Lui seul, par sa connaissance profonde du Père, pouvait le révéler. Nous devons donc nous demander si Jésus a décrit l'amour du Père en des termes qui laissaient supposer la souffrance ou le sacrifice de celui qui livre son fils en sacrifice.

Dans les synoptiques, nous trouvons cette description dans la parabole, déjà mentionnée, des vignerons homicides. D'une façon discrète, Jésus indique suffisamment la décision pathétique du Père. S'il lui restait « son unique », « son fils bien-aimé » (Mc 12, 6), la décision de l'envoyer chez ceux qui avaient si mal reçu les serviteurs avait dû être particulièrement douloureuse. Sans doute n'est-il pas dit expressément que le père a envoyé son fils à la mort, mais la parabole laisse entendre le risque évident auquel s'exposait le maître de la vigne.

On doit même noter que la description faite dans la parabole revêt un caractère plus concret que les affirmations pauliniennes et johanniques. On y voit mieux apparaître l'amour d'un père qui donne finalement tout ce qu'il a de plus cher, celui auquel il tient par-dessus tout, son fils unique. Toute la parabole a d'ailleurs pour but de mettre en lumière l'attitude du maître de la vigne, du Père. Jésus avait donc voulu attirer l'attention sur le geste de sacrifice accompli par le Père.

Dans la parabole ; il n'est pas question de sacri
fice d'expiation. Jésus affirme en d'autres occasions
la valeur expiatoire de son sacrifice, notamment lors
qu'il déclare que le « Fils de l'homme est venu non
pas pour être srvi mais pour servir et donner sa vie
en rançon pour la multitude » (Mc 10, 45 ; Mt 20, 28)
Il ne parle pas du Père, mais en disant qu'il est venu
il insinue qu'il a été envoyé par lui.

C'est donc bien sur des paroles de Jésus que
repose l'affirmation du geste du Père qui envoie son
Fils en le livrant à une mort expiatrice et qui prouve
par ce don pénible à son cœur paternel, la grandeur
de son amour pour l'humanité.

Si les affirmations pauliniennes et johanniques
ont gardé une discrétion dans l'évocation des senti
ments du Père qui donne ou envoie son Fils, c'est que
Jésus lui-même avait voulu en ce domaine suggérer
plutôt qu'exprimer. Lui qui connaissait les dispositions
intimes du Père aurait pu les révéler avec plus de
clarté ou de précision. Il préfère les laisser deviner
La parabole des vignerons homicides est significative
à ce propos. La situation du père est décrite en ter
mes fort concis : « il avait encore son unique, son fils
bien-aimé ». La mention de l'envoi est encore plus
brève, plus objctive : « Il l'envoya finalement vers
eux... » On soupçonne le drame intérieur qui a pu se
produire à ce moment chez le maître de la vigne
mais rien n'en est dit expressément.

Pourquoi cette discrétion ? On pourrait penser à
une certaine pudeur dans la révélation des sentiments
intimes du Père. Déjà dans les relations humaines
une investigation psychologique trop poussée heurte
le respect dû à la personnalité ; plus spécialement

dans une situation pénible, il ne convient pas de vouloir explorer la profondeur d'une souffrance. Jésus ne pouvait manquer de garder cette délicatesse à l'égard du Père. Cependant, il semble qu'il y ait une raison plus fondamentale à sa discrétion. Jésus voulait montrer l'amour du Père pour les hommes ; or le véritable amour ne cherche pas à étaler la profondeur de ses sacrifices ; il tend à s'oublier lui-même pour autrui. C'est donc le thème de la révélation, l'amour divin, qui de lui-même requérait une allusion plutôt voilée aux sentiments du Père.

Mais si simple et si discrète qu'elle soit, la description faite par Jésus prend toute sa valeur. Elle montre suffisamment que le premier sacrifice n'a pas été celui du fils mis à mort par les serviteurs, mais celui du père qui apparaît comme le responsable suprême de toute l'aventure douloureuse.

2 — LA COMPASSION DU PERE

Jusqu'ici nous avons considéré l'initiative du Père qui donne son Fils en sacrifice. Il y a un autre aspect de la participation du Père au drame rédempteur, la compassion. Sur cet aspect, la discrétion est plus forte encore dans les récits évangéliques. Non seulement cette compassion reste invisible, inobservable pour les témoins du drame, comme c'était déjà le cas de l'initiative du Père, mais en outre elle ne constitue pas un élément aussi essentiel de l'œuvre du salut que la décision du Père d'envoyer son Fils en propitiation. On pourrait dire qu'elle intéresse plus la contemplation que la théologie. Ainsi s'explique le fait que la compassion du Père a reçu plus d'attention de la part des artistes chrétiens que des théologiens.

a) *Décision de livrer le Fils et compassion*

Devant le silence évangélique, comment pouvons-nous éclairer le mystère de la compassion ?

Tout d'abord, il faut admettre une continuité de dispositions intimes chez le Père à partir de la décision de donner son Fils en sacrifice. Si le Père a été affecté par cette décision que seul un immense amour de l'humanité pouvait lui faire prendre, il doit avoir été profondément touché par la réalisation même du sacrifice. Par sa décision, il s'était volontairement exposé à subir dans son cœur paternel le contrecoup des souffrances infligées à Jésus ; il était entré délibérément dans la voie de la compassion.

Notons d'ailleurs que sa décision de ne pas épargner son propre Fils prend toute sa force au moment du Calvaire : c'est plus spécialement à ce moment que le Père, à qui tout était possible et qui aurait pu éloigner le calice, a refusé d'adoucir le breuvage. Il n'est pas intervenu pour mettre fin au supplice ; or en persévérant jusqu'au bout dans l'accomplissement du dessein rédempteur, il sacrifiait à l'extrême son amour paternel. Il accompagnait invisiblement son Fils dans l'aventure de la souffrance.

S'il n'avait pas éprouvé la compassion la plus profonde devant le spectacle de son Fils crucifié, nous devrions remettre en question la valeur de l'amour qu'il nous a témoigné. Dans le cas où il aurait été incapable de compassion, l'acte de donner son Fils en sacrifice ne lui aurait guère coûté. C'est avec indif-

'érence personnelle qu'il aurait décidé le sacrifice. On ne pourrait pas discerner, dans un tel acte, un sommet d'amour.

De plus, si le Père avait dû rester insensible à la douleur du Christ, on ne comprendrait pas comment la décision de conduire son Fils par la voie du Calvaire n'aurait pas comporté une certaine cruauté, ou tout au moins un certain égoïsme de sa part. Le Père aurait infligé à son Fils un supplice dont lui-même n'aurait ressenti aucun inconvénient ; il aurait tout simplement chargé un autre du poids d'une tâche pénible à laquelle il se serait complètement soustrait. On pourrait alors lui adresser le reproche de ne pas être venu en personne dans le monde pour accomplir dans la douleur la libération de l'humanité. Répondre que le Père avait le droit d'agir ainsi, en raison de sa souveraineté, ou encore qu'il ne pouvait pas agir autrement, vu qu'il devait exiger d'autrui une réparation douloureuse pour le péché, ce n'est pas imposer silence à l'objection. Car que ce soit un droit ou une nécessité, le Père ne pourrait plus être dit, en cette circonstance essentielle, celui qui agit par amour.

L'attitude du Père ne peut être celle de l'amour que si elle implique la compassion. Il faut que le Père ait pris, avec son Fils, la charge du sacrifice : s'il est le premier à participer, de la façon la plus intime, à la douleur du crucifié, on ne peut plus l'accuser de s'être mis égoïstement à l'abri du drame rédempteur, et d'en avoir fait porter tout le poids sur son Fils. On ne peut non plus lui demander pourquoi il n'est pas venu en personne goûter le fruit amer de la souffrance humaine, car en fait, il souffre plus

profondément de donner son Fils et de le voir souffrir
Il lui aurait été moins pénible de venir lui-même
d'autres raisons motivaient la venue du Fils pour l'of
frande du sacrifice, mais de toute manière, l'envoi du
Fils a été pour le Père la solution la plus douloureuse

Seule la compassion peut donc montrer la vanité
des reproches de cruauté ou d'égoïsme. Nous retrou
vons encore ici un principe déjà souligné : l'associa
tion inséparable de l'amour et de la souffrance. La
souffrance manifeste la sincérité et la profondeur de
l'amour.

b) L'union du Père et du Fils

Nous avons déjà indiqué plusieurs aspects des
relations d'intimité du Père avec le Fils, tels qu'ils
sont mis en lumière dans les affirmations johanniques : appartenance mutuelle, immanence réciproque,
communion. Et nous avons observé qu'on ne peut
arrêter cette intimité à l'heure de la Passion, pour
en exclure la souffrance.

La douleur de Jésus crucifié appartient au Père,
qui la fait sienne. Le Père se trouve présent dans son
Fils supplicié sur le Calvaire, et cette présence ne
pourrait être une présence insensible. La communion
du Père avec Jésus comporte une mise en commun
de la souffrance.

La compassion n'est donc pas le produit d'une
émotion superficielle et passagère : elle est l'expression inévitable de l'union du Père et du Fils dans
l'œuvre du salut. Cette union ne concerne pas seulement l'action mais tout l'aspect affectif du sacrifice
rédempteur.

Sans doute est-il vrai que la déréliction marque une certaine séparation affective de Jésus avec le Père. Pour dire : « Mon Dieu, mon Dieu, pourquoi m'as-tu abandonné ? », le Christ doit éprouver un abandon intime, chercher en vain dans ce qu'il voit et ce qu'il sent la présence du Père. En réalité cette présence demeure, selon le principe de l'immanence réciproque ; mais elle n'est plus perçue, sentie, et Jésus n'en reçoit plus le réconfort dont il avait joui auparavant.

Mais même cette déréliction ne signifie pas une totale séparation affective. Elle est éprouvée en commun par Jésus et par le Père, car le Père en « abandonnant » Jésus, souffre de la distance qu'il met entre lui-même et son Fils bien-aimé. Dans la compassion du Père, il y a donc une sorte d'équivalent de la déréliction. Certes, le Père ne souffre pas d'être abandonné, mais il souffre d'abandonner ; il est affecté par la douleur profonde infligée à son Fils.

« Dans l'abandon du Fils, le Père s'abandonne lui-même », a écrit J. Moltmann pour montrer la participation trinitaire à la croix [30]. C'est une manière de faire comprendre combien le Père se frappe lui-même en abandonnant son Fils. Néanmoins, il importe de préciser qu'il n'y a pas simple identité de « sentiment » entre le Père et le Fils. Le Fils souffre humainement, dans sa nature humaine. Le Père souffre divinement, par sympathie avec son Fils incarné. Nous aurons à examiner de plus près ce que peut signifier cette souffrance en Dieu, mais il nous faut affirmer une véritable compassion.

Cette compassion est en fait la première réponse

---

30. *Der gekreuzigte Gott*, 230.

au « pourquoi » de Jésus. Si le Christ se sent aban donné, ce n'est pas faute d'amour de la part du Père puisque le Père lui-même éprouve la peine de la déréliction. Mais c'est parce que le Christ, avec la compassion du Père, doit accomplir le sacrifice ré dempteur, où l'amour divin se déploie au maximum en faveur de l'humanité.

On ne peut non plus oublier qu'en communiant avec le Christ dans la souffrance du Calvaire, le Père a voulu entrer en communion de façon plus spéciale avec toute la souffrance humaine. En Jésus crucifié, il y a comme une concentration des douleurs de l'humanité, car il y a prise en charge de toute la souffrance que le péché aurait méritée à l'homme. Dès lors, en compatissant avec son Fils, le Père compatit avec toute l'humanité souffrante. Le point d'insertion de cette sympathie ne pouvait être mieux choisi : c'est dans l'amour si intense qu'il nourrit pour son Fils que le Père se fait solidaire de la douleur des hommes. Cet amour lui permet la compassion la plus profonde : en « comprenant » la douleur de Jésus et en la faisant sienne, le Père comprend par son expérience paternelle le drame des souffrances de l'humanité. Aucune autre douleur n'aurait pu avoir une aussi grande répercussion en lui. En ce sens, la communion avec son Fils incarné implique chez le Père la communion la plus complète avec l'immensité de la souffrance humaine.

La compassion est aussi parfaite que l'union du Père et du Fils. Elle dépasse toutes les compassions humaines. En effet le Père a éprouvé dans sa sympathie toutes les souffrances qui atteignaient Jésus, sous tous leurs aspects et dans toute leur intensité. Et il es a éprouvées plus précisément telles qu'elles étaient ressenties par la personne divine du Fils, avec l'envergure qu'elles prenaient en lui.

c) Image du Père

La compassion du Père est essentielle pour la révélation que Jésus nous fait de Dieu : si le Christ crucifié ne représentait pas un Dieu qui souffre, sa mission révélatrice serait gravement déficiente. C'est à tort que Jésus aurait dit, peu d'instants avant la Passion : « Celui qui m'a vu a vu le Père » (Jn 14, 9).

Pourquoi y a-t-il eu une telle difficulté à étendre à la Passion le principe que Jésus nous fait voir le Père ? C'est que dans le drame rédempteur la position du Père est complexe. Le Père apparaît comme celui qui exige le sacrifice, le reçoit en hommage d'expiation. Dès lors, il a été regardé comme ayant un rôle en contraste avec celui de Jésus, de sorte que dans le sacrifice Jésus ne pouvait plus être considéré comme image du Père, mais comme celui qui adressait au Père l'offrande de la croix.

Le contraste a encore été accentué par une représentation de la Passion, où était attribuée au Père une colère qui s'abattait sur Jésus en raison des péchés de l'humanité. Luther pensait que dans sa conscience le Christ s'était senti maudit par Dieu et avait dû éprouver en soi l'épouvante et l'horreur de la colère éternelle [31]. D'autres réformateurs se sont exprimés dans le même sens, notamment Mélanchthon selon lequel le Christ, identifié aux crimes de l'huma-

---

31. *Op. in Ps.* 22 (21), *Werke* (Weimar 1892), 5, 603.

nité, « a fait dériver sur lui la colère du Père
éternel » [32].

Des prédicateurs et des théologiens catholiques
ont suivi cette conception de la rédemption, en oppo-
sant un Père en colère au Christ qui subit le châtiment.
Dans des sermons sur le Vendredi Saint, Bossuet a
fait un tableau impressionnant du courroux du Père
qui rejette son Fils, le regarde du regard qui frappe
les damnés, et l'accable du poids intolérable de ses
vengeances [33]. Beaucoup d'autres auteurs se sont ral-
liés à cette explication [34], sans se rendre compte qu'elle
n'était pas conforme à l'amour du Père décrit dans
l'Ecriture, et que la colère ou la justice punitive de
Dieu n'auraient pu frapper un innocent.

Pareille présentation du Père excluait que Jésus
puisse, au moment de la Passion, demeurer l'image
la révélation du Père. Elle s'appuyait sur certains textes de Paul qui évoquent le Christ fait « péché » ou
devenu « malédiction » pour nous (2 Co 5, 21 ; Ga 3,
13), mais qui ne pourraient être interprétés au sens
d'une vengeance divine qui aurait frappé Jésus. En
fait, on ne peut attribuer au Père des sentiments
hostiles à son Fils. Si, aux yeux du Père, Jésus repré-

---

32. *Epistolae Pauli scriptae ad Romanos enarratio, Corpus Refor-*
    matorum, Halis Saxonum 1848, t. 15, 947-1199 ; *De definitione*
    justitiae, ibid., t. 11 (1843), 999.

33. *Œuvres oratoires de Bossuet,* éd. Lebarq-Urbain-Levesque
    Paris 1916, t. III, 387-389 ; t. IV 386-390 ; t. V, 206 s.

34. Cf. un aperçu sur ces auteurs dans J. RIVIERE, *Le dogme*
    de la Rédemption dans la théologie contemporaine, Albi 1948,
    356-380 ; L. SABOURIN, *Rédemption sacrificielle,* Montréal 1961,
    109-153 ; Ph. de la TRINITE, *La Rédemption par le sang,*
    Paris 1959, 19-23 ; sur cette position doctrinale, cf. notre ouvrage
    La Rédemption, mystère d'alliance, Paris 1965, 81-85 et 256-260.

entait l'humanité pécheresse, il le faisait dans une
otale innocence, absolument préservée de tout péché,
et en vertu d'une solidarité généreuse avec tous les
hommes. Son attitude ne pouvait que plaire au Père ;
a mission de représenter les hommes pécheurs dans
e sacrifice lui avait d'ailleurs été confiée par le Père
lui-même. Le regard du Père sur Jésus crucifié n'aurait pas pu être celui d'un courroux ; ce ne pouvait
être qu'un regard de complaisance et de communion
dans le drame.

Ce qui reste vrai, c'est que le sacrifice de la
croix est offert par Jésus au Père : de ce point de vue
es rôles sont différents, et les deux personnes se
trouvent l'une face à l'autre. Cependant, malgré cette
différence de rôle, une ressemblance fondamentale
demeure entre le Père et Jésus. Si Jésus s'offre au
Père, c'est parce que le Père lui-même a décidé cette
offrande en sacrifice, et s'est donné dans un amour
paternel en donnant son Fils. Le don du Christ sur
la croix est l'expression d'un don primordial du Père.
La douleur du crucifié est l'image de la douleur que
le Père a secrètement assumée en livrant son Fils.

La vérité de la révélation faite par le Christ
implique donc la vérité de la souffrance du Père dans
le drame du Calvaire. Le Père n'a pas de sentiments
opposés à ceux de son Fils, même lorsque l'offrande
de son Fils monte vers lui. En accueillant l'offrande,
le Père est plein de compassion pour la souffrance
qui s'y trouve incluse.

La passion de Jésus « raconte » en termes d'existence humaine la secrète Passion du Père. L'instant de
la vie de Jésus qui est sommet de la rédemption est
sommet de la révélation. On doit reconnaître dans la

8

croix l'image suprême de l'amour du Père, dévoilé dan
l'amour du Christ. Et cet amour est un amou
souffrant.

Qu'il y ait dans cette révélation un boulevers
ment des idées au sujet de Dieu, on ne devrait pa
s'en étonner. Le Christ nous a fait voir un Dieu cons
dérablement différent des représentations antérieure
un Dieu tellement pris par l'amour qu'il est accessibl
à la douleur, et que par la douleur il témoigne tout
la force de son amour.

d) Représentation biblique

Une autre voie d'approche des sentiments d
Père dans la Passion est celle que nous offre l'Ecr
ture lorsqu'elle décrit la douleur d'un père pour l
mort de son fils. Un exemple frappant est celui d
la réaction de David à la mort d'Absalom. Lorsqu'o
vient annoncer à David la victoire remportée sur so
fils en révolte, la seule réponse du roi est : « En va-t-i
bien du jeune Absalom ? » En apprenant qu'Absalor
a perdu la vie, David, tout frémissant, va se réfugie
dans une chambre pour y pleurer, et on l'entend répé
ter en sanglotant : « Mon fils Absalom ! mon fils
Mon fils Absalom ! Que ne suis-je mort à ta place
Absalom mon fils ! mon fils ! ». Le chroniqueur ajou
te : « La victoire, ce jour-là, se changea en deuil pou
toute l'armée, car l'armée apprit ce jour-là que le ro
était dans l'affliction à cause de son fils » (2 S 19
1-3).

Entre celui qui sera appelé fils de David et Absa
lom la différence est grande, car la soumission entière
de Jésus au dessein du Père fait contraste avec la

rébellion d'Absalom. Mais le contraste ne fait que suggérer une douleur plus vive pour le Père dans le drame rédempteur. Si David a pleuré son enfant malgré l'hostilité que celui-ci avait déchaînée contre lui, le Père a dû ressentir bien plus profondément la mort d'un Fils avec lequel les relations d'amour étaient parfaites.

Les contemporains de David ont respecté sa douleur, et personne ne songerait à voir dans cette douleur une disposition peu louable : on y reconnaît la noblesse d'un cœur paternel. S'il y a une grandeur morale dans cette souffrance où s'exprime l'amour d'un père humain pour son enfant, on ne pourrait en exclure une analogie en Dieu. Dire que la douleur est une imperfection et que par conséquent elle ne peut exister en Dieu, n'est-ce pas ignorer la valeur morale qui peut être impliquée dans la douleur ? L'attitude de David lors de la mort de son fils n'est nullement indigne de figurer la réaction du Père à la mort de Jésus.

Au sujet des dispositions du Père dans la Passion, Moltmann souligne une différence dans la situation du Fils et du Père : « Jésus éprouve le fait de mourir dans l'abandon, mais non la mort elle-même, puisque la souffrance présuppose la vie. Mais le Père qui l'abandonne et le livre, éprouve la mort du Fils dans la douleur infinie de l'amour. » C'est ainsi que « la douleur du Père est d'importance égale à la mort du Fils ». [35]

Il nous semblerait plutôt que la différence serait à faire entre la situation d'un père humain affecté par la mort de son fils et la situation du Père. Car

---

35. *Der gekreuzigte Gott*, 230.

dès que se produit la mort du Calvaire, Jésus est
reçu par le Père entre les mains duquel il s'est remis,
et il entre dans la gloire céleste. La compassion du
Père accompagne en réalité ce qu'on peut appeler
l'acte de mourir de Jésus, l'abandon de celui-ci à la
mort. C'est cet abandon qui a dû être ressenti par
le Père comme un immense déchirement.

Peut-être est-il également excessif d'affirmer,
comme Moltmann, que « puisque Dieu s'est constitué
comme Père de Jésus-Christ, il éprouve dans la mort
du Fils la mort de sa paternité ».[36] La paternité du
Père est extrêmement vivante à ce moment tragique,
mais ce qui est vrai c'est que le don que Jésus fait
de lui-même à la mort a dû provoquer chez le Père
la souffrance la plus profonde pour son amour paternel, une souffrance qui ressemble à la violence de la
mort.

e) Témoignage de l'art chrétien

L'art religieux a exprimé avec émotion la participation du Père à la Passion.

Il a représenté toute la Trinité engagée dans la
Passion, et plus particulièrement le Père tenant, de
ses bras étendus, la croix de Jésus. En attribuant ce
geste au Père, il a cherché à faire saisir comment le
Père a été le premier à ouvrir ses bras à l'humanité
en instituant le sacrifice de la croix et en livrant son
Fils à la mort. C'est dans la crucifixion que la Trinité
se manifeste ; comme l'a souligné Moltmann, la mort

36. *Ibid.*

de Jésus est un événement trinitaire [37]. Aucune représentation de la Trinité n'est aussi vraie, aussi fondée sur l'Ecriture, que celle qui cherche à montrer les trois personnes divines dans l'œuvre capitale de la rédemption.

L'art de la fin du moyen âge a conçu une représentation plus frappante encore, celle de la Pietà du Père. Sur le modèle de la Pietà de Marie, les artistes ont sculpté ou peint le Père tenant dans ses bras son Fils inanimé. « Ils ont voulu, dit E. Mâle, associer Dieu le Père non pas à l'idée abstraite du sacrifice, mais aux douleurs de la Passion, convaincus que si Dieu est amour, comme dit saint Jean, il a pu sentir la pitié. » [38]

Parmi les œuvres les plus suggestives, Mâle retient une miniature qu'il décrit et commente en ces termes : « Le cadavre de Jésus sanglant et livide est étendu sur la terre. La Vierge veut se jeter sur lui, mais saint Jean l'en empêche, et, pendant que de toutes ses forces il la retient, il tourne la tête vers le ciel, comme pour accuser Dieu. Et alors la face du Père apparaît ; son regard est triste et il semble dire : "Ne me fais pas de reproches, car, moi aussi, je souffre" [39]. »

Sans doute pareille représentation surgit-elle de l'imagination de l'artiste. Mais elle est profondément enracinée dans l'interrogation que suscite la souffrance humaine, dont la souffrance du Calvaire est

37. *Ibid.*, 232.
38. *L'art religieux de la fin du moyen âge en France*, Paris 1925, 142.
39. *Ibid.*, 143. Miniature du ms. latin 9471, f. 135, de la Bibliothèque Nationale de Paris.

la plus remarquable image. Le geste de Jean, qui semble accuser Dieu, est caractéristique de la première réaction de l'homme face à cette souffrance. La véritable réponse se cache dans la souffrance même du Père. Nous l'avons noté : sans cette souffrance, les reproches de cruauté ou d'égoïsme ne pourraient être évités.

C'est une intuition de foi qui a guidé les artistes chrétiens dans cette représentation de la compassion du Père. On peut mettre en parallèle leur conception avec celle de la théologie, qui a tendu à garder une idée beaucoup plus abstraite, et plus froide, de la présence du Père dans le drame rédempteur, et qui le plus souvent s'en est tenue au principe d'un Dieu impassible. La confrontation fait penser à une situation d'évangile, où Jésus a comparé l'attitude des « petits » à celle des « savants », et où il a loué le Père d'avoir adressé sa révélation aux premiers (Mt 11, 25 ; Lc 10, 21). On doit en effet se demander si une idée trop savante de Dieu n'a pas fait négliger en théologie un aspect fort simple de l'amour du Père, sa réelle capacité de compassion.

III

LE PROBLÈME DE
LA SOUFFRANCE DE DIEU DANS
L'OFFENSE CAUSÉE PAR LE PÉCHÉ

Il y a un domaine où la théologie a dû affronter, dans une certaine mesure, le problème d'une souffrance infligée à Dieu : c'est celui du péché. Pour une meilleure compréhension du problème de la souffrance divine dans la Passion, il importe de considérer d'abord les indications de l'Ecriture au sujet du péché, puis le problème tel qu'il a été perçu en théologie spéculative.

A. Le péché, offense de Dieu
dans l'ancienne alliance

La révélation que la Bible apporte au sujet du péché situe ce dernier dans les rapports de l'homme avec Dieu. Elle montre Dieu irrité par le péché. C'est une indication fondamentale qui résulte de textes multiples, et atteste clairement que le péché atteint Dieu.

Comment préciser davantage la nature de cette

irritation ? « L'irritation provoquée par le mal éveille l'idée d'un affront personnel, dit G. Beaucamp ; dans le cas de Dieu, cet affront semble devoir être interprété comme une offense à son amour, tout au moins à partir du prophète Osée »[1].

Ayant noté que le péché est un acte qui « n'atteint l'intéressé qu'en le blessant », J. Guillet en exprime le motif : par l'alliance « Dieu s'est engagé dans le monde et s'est rendu vulnérable »[2].

Il y a véritable blessure de l'amour divin ; l'offense ne signifie pas que Dieu réagit comme s'il était offensé, simplement pour épargner à l'homme la destinée malheureuse que le péché lui vaut. L'offense est réelle. « Pour la Bible et pour les prophètes, en particulier, le péché atteint Dieu dans son Etre intime, il outrage sa sainteté, et appelle une réaction personnelle de tristesse et de courroux. »[3]

L'image fréquemment employée par les prophètes pour caractériser les fautes d'Israël est celle de l'adultère. Dieu est représenté comme un Dieu jaloux, en raison du grand amour qu'il porte à son peuple ; lorsqu'Israël se tourne vers les faux dieux, il commet une infidélité qui blesse et excite la jalousie divine. L'évocation de l'époux trompé est fort suggestive : c'est l'image de l'offense la plus profonde que puisse ressentir un homme, à la fois outrage et chagrin. Elle fait comprendre la profondeur de l'offense ressentie par Dieu.

---

1. *Péché dans l'Ancien Testament*, DBS 7, Paris 1966, 419.
2. *Thèmes bibliques*, Paris 1951, 96.99.
3. A. DESCAMPS, *Le péché dans le Nouveau Testament*, dans *Théologie du péché* (Ph. DELHAYE, etc.), Paris 1960, 55.

Une autre image est celle de l'enfant qui se détourne de son père. La tendresse du père qui prend son jeune enfant dans ses bras, élève un nourrisson tout contre sa joue (Os 11, 3-4), fait deviner sa douleur lorsqu'il se voit abandonné, repoussé.

Deux expériences humaines essentielles servent donc à illustrer le drame du péché : la souffrance de l'époux trahi par sa femme, la douleur d'un père affligé par l'hostilité et l'ingratitude de son enfant. On ne pourrait atténuer la force de ces images, du fait qu'elles sont appliquées à Dieu. Si elles ont pour intention de souligner l'intensité d'un amour blessé, elles doivent se vérifier pleinement en celui qui aime en plénitude. Notons que la blessure est proportionnelle à l'amour. Si personne n'aime autant que Dieu, personne ne doit être aussi profondément frappé par l'offense qui vient de l'être aimé. C'est ce que la Bible cherche à exprimer lorsqu'elle décrit l'irritation divine.

Cependant, au point de vue des dommages causés par le péché, elle insiste sur le fait que c'est l'homme qui en est la victime. C'est lui qui se fait tort à lui-même. Le péché offense Dieu, blesse son amour, mais ne le lèse pas dans son être divin, dans sa perfection transcendante. En ce sens, Dieu demeure intact ; aucune hostilité humaine ne pourrait le diminuer. Il reste le Dieu souverain qui réagit au péché avec une puissance invulnérable.

Jérémie fait dire à Yahwé : « Est-ce bien moi qu'ils (les idolâtres) blessent ? N'est-ce pas plutôt eux-mêmes, pour leur propre confusion ? » (7, 19). Dans le livre de Job, Elihu souligne la transcendance de Dieu par rapport au comportement humain : « Si tu pèches, en quoi l'atteins-tu ? Si tu multiplies tes offenses, quel mal lui fais-tu ? » (35, 6). Les manifestations de la colère divine, en réaction aux péchés du peuple, témoignent que la souveraineté de Dieu n'a nullement été entamée par les offenses.

Pour rendre compte de ces affirmations bibliques, nous devons donc distinguer deux points de vue : dans les relations d'alliance qu'il a instituées avec les hommes et dans l'amour qu'il leur a voué, Dieu est véritablement offensé, blessé par le péché ; mais dans ce qu'il est en lui-même, dans ce que nous appelons la perfection de sa nature divine, il demeure hors d'atteinte.

Observons qu'aucun des deux aspects ne supprime l'autre, et qu'on ne pourrait prétendre, par exemple, réduire l'offense subie par Dieu au tort que l'homme se fait à lui-même, et conclure finalement que le péché n'a d'effet réel que sur l'homme. Pareille réduction aboutirait à méconnaître une face importante de la révélation du péché. En fait, les deux points de vue doivent être maintenus, et l'offense faite à Dieu doit être reconnue dans sa réalité, où se dévoile la gravité de la faute humaine. Cette offense se produit néanmoins non par lésion « physique » infligée à la nature divine, mais par une blessure « morale » causée dans des relations personnelles d'amour.

B. L'offense de Dieu dans la nouvelle alliance

Dans le Nouveau Testament, le péché est présenté dans le cadre de relations plus personnalisées avec Dieu, c'est-à-dire dans l'atteinte qu'il constitue pour

hacune des personnes divines. Il n'y a là qu'un déve-
oppement du principe déjà affirmé dans l'Ancien
'estament, principe selon lequel le péché offense un
Dieu personnel dans son amour.

— L'OFFENSE AU PERE

Jésus n'a pas manqué de dépeindre le péché
omme offense infligée au Père. Dans la parabole du
ils prodigue, c'est dans le cadre des relations d'un
ils avec son père qu'est décrite la faute. On doit
ouligner cette nouveauté par rapport au cadre tradi-
ionnel des relations de l'homme avec Dieu. La faute
consiste dans un outrage au père, puisque le fils
éclame sa part d'héritage pour pouvoir quitter le
'oyer paternel, c'est-à-dire qu'il veut se servir de la
générosité du père à son égard afin de mieux lui tourner le dos.

Le départ du fils, observe S. Lyonnet, « peut être
appelé à bon droit et au sens propre « offense du
père », en tant qu'il a vraiment « attristé » le père
et l'a privé de la présence même du fils qu'il aimait » [4].
La parabole met d'ailleurs l'accent plus sur l'attitude
du père que sur celle du fils ; ce sont les sentiments
du père que Jésus veut mettre avant tout en lumière,
car, selon la remarque de L. Cerfaux, « le miracle,
ce n'est pas que l'enfant se repente, c'est que le père
pardonne », et « il serait préférable d'intituler la parabole : le Père miséricordieux » [5].

4. *De peccato et redemptione*, I, Rome 1957, 62.
5. *Recueil Lucien Cerfaux*, Gembloux 1954, II, 51.

Or la miséricorde prend toute sa valeur par la profondeur de l'offense ressentie. Vouloir atténuer la « blessure » paternelle, ce serait rabaisser la grandeur du pardon.

Sans doute observe-t-on dans la parabole une discrétion voulue sur les sentiments intimes du père au moment où le fils s'en va. Seule la générosité du père, qui ne refuse pas à son fils la part d'héritage est mise en relief. Nous avons déjà rencontré la même discrétion de Jésus au sujet de la participation du Père à la Passion. Cependant la parabole suggère suffisamment le chagrin intense du Père, non seulement par l'attitude ingrate et désinvolte du fils, mais encore par la joie manifestée lors du retour du coupable. La grandeur de cette joie fait deviner celle de la tristesse qui avait précédé.

Même si cet enseignement est livré sous forme de parabole, il n'y a pas de doute qu'il marque un moment important de la révélation de Dieu par Jésus. L'attitude divine est saisie et décrite dans une de ses réactions les plus caractéristiques, peut-être la plus essentielle de toutes et la plus riche de suggestions sur l'amour du Père. Elle nous montre un Dieu fort différent d'un souverain impassible enfermé dans une immutabilité qui le mettrait hors d'atteinte des comportements humains.

La joie attribuée au Père lors du retour des pécheurs bouleverse tout autant la notion d'un Dieu absolument immuable que la tristesse suggérée lors du départ. Cette joie montre à quel point le Père, dans son amour pour son enfant, réagit à sa conduite. La joie éprouvée à ce moment ne pourrait nullement être identifiée au bonheur dont Dieu jouit. C'est une joie provoquée par la réunion avec le fils perdu. Jésus a voulu insister tout spécialement sur cette joie, en la faisant apparaître au premier plan non seulement dans le récit du fils prodigue, mais dans les deux autres paraboles de la miséricorde, celles de la brebis perdue et de la drachme perdue. Il décrit même plus cette joie que l'acte du pardon, car en réalité elle signifie le pardon le plus complet et le moins humiliant pour le pécheur. Jésus en énonce le principe : « C'est ainsi, je vous le dis, qu'il y aura plus de joie dans le ciel pour un seul pécheur qui se repent que pour quatre-vingt-dix-neuf justes, qui n'ont pas besoin de repentir » (Lc 15, 7). La joie « dans le ciel » est d'abord une joie en Dieu même.

Une caractéristique remarquable de la joie pour le retour du pécheur, c'est que le Père veut la faire partager. Le père du fils prodigue organise aussitôt un festin ; le berger qui reprend sa brebis rassemble ses amis et voisins : « Réjouissez-vous avec moi... » (Lc 15, 6). La femme qui retrouve sa drachme adresse la même invitation aux amies et voisines (Lc 15, 9). Et à ce propos, il est fait mention de la joie « parmi les anges de Dieu ».

Nous constatons donc qu'il n'y a pas, dans la description de la joie, la même discrétion que dans l'indication de la souffrance. On comprend le contraste, dû à l'amour : Dieu lève à peine le voile sur la douleur que lui inflige le péché, il la tait et la garde pour lui-même, tandis qu'il communique aux autres la joie suscitée par la conversion. La différence contribue à souligner à quel point la souffrance divine due au péché est un mystère, une vérité profondément enfouie dans le silence divin.

Enfin, il importe de noter, dans la parabole d
fils prodigue, la véritable source de la douleur d
père. Si le père souffre de l'outrage, c'est en raiso
de l'amour que lui-même veut continuer à porter à so
enfant. La souffrance ne résulte pas uniquement de l
révolte du fils ; si le père n'aimait pas son enfant o
s'il cessait de l'aimer, il ne souffrirait pas de so
absence. Le père n'est donc pas victime passive d'un
douleur qui lui vient de l'attitude d'autrui : le mystèr
de cette douleur est avant tout le mystère de l'amou
qu'il a voué à son enfant, amour qu'il maintient fidè
lement. Dans cette disposition intime, on voit appa
raître une certaine conciliation de la souffrance du
au péché avec la souveraineté divine. C'est en maîtr
de son propre amour que le Père s'expose aux risque
de souffrance, et qu'il en assume la première respon
sabilité.

2 — L'OFFENSE AU FILS

Est-il possible de déceler dans les textes évan
géliques des indications sur l'offense que constitue l
péché pour la personne du Fils de Dieu ? On pourrai
se demander si l'hostilité dont Jésus a souffert dan:
sa mission publique ne doit pas être située plutô
sur un plan humain : n'était-ce pas l'homme qui étai
aux prises avec des adversaires qui justement ne vou
laient reconnaître en lui qu'un homme ordinaire ?

En fait, s'il est vrai que l'opposition au Chris
se produit à un niveau humain, et qu'à cette opposi
tion Jésus réagit en homme, on ne peut oublier que
la résistance vient de ce que le Christ prétend se

comporter en Fils de Dieu. Les adversaires veulent tuer celui qui « appelle Dieu son propre Père, se faisant ainsi l'égal de Dieu » (Jn 5, 18).

Plus particulièrement, face aux pécheurs, Jésus exerce un pouvoir qui appartient à Dieu, celui de remettre les péchés. Cette autorité divine, il la présente comme une propriété de sa mystérieuse identité, en la démontrant par le miracle : « Afin que vous sachiez que le Fils de l'homme a sur la terre le pouvoir de remettre les péchés, je te l'ordonne, dit-il au paralytique, lève-toi... » (Mc 2, 11).

Dès lors l'attitude de Jésus vis-à-vis du péché incarne l'attitude de Dieu lui-même. Les trois paraboles de la miséricorde ont pour objet de montrer le pardon du Père, mais, selon le témoignage de Luc, elles sont destinées à justifier le comportement de Jésus en réponse aux accusations des Pharisiens et des Scribes : « Cet homme fait bon accueil aux pécheurs et mange avec eux ! » (15, 2). Elles font comprendre que la bienveillance pleine de pardon, adoptée par Jésus, est l'expression humaine d'une attitude identique du Père. Le Fils révèle le Père.

Jésus garde sur ses propres sentiments une réserve pareille à la discrétion que nous avons notée dans sa description de l'offense faite au Père. Lorsqu'il annonce que l'un de ses disciples le trahira, les auditeurs peuvent soupçonner la profonde souffrance que cette trahison lui occasionne ; cependant le but de Jésus n'est pas de dévoiler ses impressions intimes, mais de préparer ses disciples à l'épreuve et peut-être de susciter chez Judas un mouvement de retrait.

Une notation de l'évangile de Marc est néanmoins significative, et semble provenir du témoignage de

quelqu'un — on pense spontanément à Pierre [6] — qui
a saisi sur le vif les sentiments de Jésus. Bien que
la scène soit particulière et concerne la guérison d'un
homme à la main desséchée, elle est caractéristique
de l'opposition rencontrée en général par le Christ
dans sa mission. D'une part Jésus y apparaît comme
celui qui prétend avoir toute maîtrise sur le sabbat,
et donc celui qui possède la souveraineté divine, puisqu'intentionnellement il opère le miracle le jour du
sabbat. D'autre part il se heurte à la mentalité de
ceux qui non seulement refusent de croire en lui, mais
l'épient constamment pour pouvoir l'accuser. Cette
mentalité est décrite par une expression qui rappelle
l'obstination du peuple dans le péché et l'incrédulité,
telle qu'elle avait été maintes fois décrite par la Bible :
« l'endurcissement du cœur ».

Après que Jésus a demandé à ses adversaires s'il
est permis de sauver une vie le jour du sabbat et qu'il
n'a obtenu pour réponse qu'un silence de conspiration,
il manifeste ses sentiments. « Les ayant enveloppés
d'un regard de colère, (il fut) pris d'une tristesse
compatissante pour l'endurcissement de leurs cœurs »
(3, 5).

Notons d'abord le regard par lequel Jésus par-
court tout son auditoire : on y perçoit son intention
de réagir à l'attitude générale de ses adversaires. Il
semblerait que dans ce regard humain se laisse deviner
le regard divin qui domine toutes les situations humaines et qui pénètre les cœurs où se cachent les
dispositions hostiles, celles qui constituent le péché.

Le sentiment qui anime le regard de Jésus est

---

6. Cf. M. J. LAGRANGE, *Evangile selon saint Marc*, Paris 1929, 59.

appelé par Marc de son nom : la colère. Matthieu et Luc, dans leurs récits parallèles, en ont omis la mention, parce que, probablement, ils la jugeaient peu digne de Jésus. Heureusement, Marc n'a pas hésité à rapporter ce souvenir, dont nous pouvons d'autant mieux apprécier la valeur. Vue dans la perspective de la révélation, la colère de Jésus en face de cœurs endurcis apparaît comme la traduction humaine de la colère de Dieu, si souvent mentionnée dans l'Ancien Testament. En réponse au péché, Dieu déchaînait la puissance de son courroux. La colère ne s'identifiait pas simplement à l'irritation [7], à l'offense causée par la faute humaine ; elle signifiait la disposition par laquelle Dieu manifestait sa réprobation de la conduite du pécheur et prenait une sanction. On pourrait dire qu'ici toute cette colère divine si abondamment évoquée dans la Bible s'incarne dans le regard de colère de Jésus.

Cette colère apparaît, en vertu de l'épisode où elle se produit, dans sa véritable motivation. La volonté qui anime Jésus est une volonté de salut, et de salut à tout prix, au-dessus de toute loi ; c'est cette volonté qui est symbolisée dans l'intention d'opérer la guérison le jour du sabbat. C'est donc une volonté animée d'amour, d'un amour sauveur poussé à l'extrême, qui, en rencontrant la résistance humaine, devient colère. Concrètement, la bonté envers l'homme à la main desséchée commande tout le comportement de Jésus.

D'ailleurs, comment la colère réprouvera-t-elle et

---

7. Cf. 2 R 23, 26 : « La colère s'était enflammée contre Juda, à cause des irritations par lesquelles l'avait irrité Manassé. » La distinction est signalée par Beaucamp, DBS 7, 419.

sanctionnera-t-elle le péché de résistance à l'amour sauveur ? En exerçant, malgré la résistance, cet amour. L'accomplissement du miracle de guérison, le jour du sabbat, est la démonstration de la légitimité du dessein du Christ, et tend à confondre ceux qui voulaient s'y opposer.

En outre, la colère de Jésus s'accompagne d'un autre sentiment : la tristesse compatissante. Là se trouve l'indication la plus surprenante du récit. La colère semble indiquer une attitude d'hostilité, mais ici elle a pour fond un chagrin, et un chagrin qui compatit. Le verbe grec employé dans le récit comporte en effet la nuance de condoléance, de compassion : littéralement « être attristé avec » [8].

Jésus ne se tourne donc pas contre ses adversaires : il veut sympathiser avec eux. Il s'agit d'une compassion pour des gens qui ne se rendent pas compte de leur malheur, et qui ne s'attristent nullement eux-mêmes de leur situation.

On voit par là comment la colère se résout en amour, non seulement en amour pour l'homme qui va être guéri, mais en amour pour les adversaires. La résistance du péché fait souffrir cet amour ; loin de le supprimer, elle avive la compassion.

Le contraste entre cette tristesse compatissante de Jésus et l'endurcissement de cœur des adversaires est à retenir : il montre que l'insensibilité ne se trouve pas du côté de Dieu, mais du côté des pécheurs. L'image de base de « l'endurcissement » est celle de

8. Après avoir observé que le verbe (*sullupoumenos*) est bien difficile à expliquer, Lagrange dit : « ne serait-ce pas ici le mélange de la tristesse compatissante avec la colère ? » (*Ev. selon S. Marc*, 59).

'insensibilité que suscite l'endurcissement de la peau, par la formation d'une callosité. Elle illustre bien la dureté du cœur manifestée par les adversaires de Jésus, lorsque, sans aucune pitié pour l'homme à la main desséchée, ils veulent empêcher la guérison, et lorsqu'à la suite du miracle, ils chercheront les moyens de mettre Jésus à mort. A cette insensibilité caractéristique du péché, répond l'extrême sensibilité de Jésus, la tristesse compatissante qui représente le fond de l'attitude divine à l'égard du pécheur.

Par un étrange renversement de la situation, une insensibilité radicale a été souvent attribuée à Dieu, en opposition avec la sensibilité humaine. Dans le récit évangélique de Marc, la capacité de s'émouvoir, de compatir, caractérise l'attitude du Fils de Dieu, et le chagrin qu'il éprouve met en lumière la noblesse de ses sentiments. C'est l'insensibilité des adversaires qui atteste une déficience morale, et qui ne devrait donc pas trouver d'analogie en Dieu. Par contre, la tristesse compatissante n'a absolument rien d'indigne et apparaît comme une des plus hautes expressions de l'amour.

3 — L'OFFENSE A L'ESPRIT SAINT

L'offense à l'Esprit Saint est mentionnée dans un texte du Nouveau Testament. Dans la lettre aux Ephésiens, Paul recommande à ses correspondants : « N'attristez pas l'Esprit Saint de Dieu, en qui vous avez été marqués du sceau pour le jour de la rédemption » (4, 30).

Pourquoi cette mention de l'Esprit Saint ? Tout le contexte de l'exhortation est centré sur la charité. Ainsi, juste auparavant, Paul souligne la nécessité d'éviter les paroles mauvaises, contraires à l'amour ; et aussitôt après, il écrit : « Aigreur, emportement, colère, clameurs, outrages, tout cela doit être extirpé de chez vous, avec la malice sous toutes ses formes. Montrez-vous au contraire bons et compatissants les uns pour les autres, vous pardonnant mutuellement, comme Dieu a pardonné dans le Christ » (4, 31-32). Or les péchés commis contre la charité atteignent plus particulièrement le Saint Esprit. Paul avait affirmé qu'« il n'y a qu'un Corps et qu'un Esprit » (4, 4), et avait invité à des efforts pour « conserver l'unité de l'Esprit par ce lien qu'est la paix » (4, 3).

C'est ainsi que l'Apôtre est amené à rappeler aux chrétiens le lien spécial qu'ils ont contracté avec l'Esprit Saint en vertu de la « marque du sceau », c'est-à-dire en vertu du baptême ou plus exactement de l'initiation chrétienne, qui comporte à la manière d'un tout ce que nous appelons baptême et confirmation [9]. Cette marque du sceau est associée, dans la pensée paulinienne, au don des arrhes de l'Esprit (2 Co 1, 21-22 ; Ep 1, 13-14), c'est-à-dire à une possession actuelle de l'Esprit Saint qui anticipe la possession totale de l'au-delà, celle du « jour de la rédemption ».

Ce n'est donc pas seulement l'efficacité opérative

9.   F. DOELGER, *Sphragis, eine altchristliche Taufbezeichnung in ihren Beziehungen zur profanen und religiösen Kultur des Altertums. Studien zur Geschichte und Kultur des Altertums,* V, 3/4, Paderborn 1911, 78, 5. Cf. notre ouvrage *La nature du caractère sacramentel,* Bruges 1957, 25.

de l'Esprit Saint dans la marque du sceau qui a créé un rapport spécial entre lui et le chrétien ; c'est sa présence, à titre d'héritage, de filiation divine. Posséder l'Esprit Saint n'est pas seulement un don divin primordial, c'est également une source de comportement chrétien, et par conséquent d'obligation morale.

Par l'attitude contraire à la charité, le baptisé « attriste » l'Esprit Saint. Paul use d'une expression qui avait été employée dans un psaume du livre d'Isaïe où, en contraste avec les témoignages de la bonté de Yahwé, était décrite l'attitude du peuple : « Ils se révoltèrent, ils attristèrent son Esprit Saint » (63, 10). Dans ce texte, l'Esprit Saint ne désignait pas encore une personne divine distincte, mais plutôt ce que Dieu communiquait de sa réalité intime lorsqu'il était présent dans son peuple et entreprenait de le guider, de le « mener au repos » (63, 13). Attrister l'Esprit Saint de Dieu signifiait donc attrister le Dieu d'amour dans la communication qu'il fait de lui-même, et l'attrister dans ses dispositions les plus intimes. Ces nuances se retrouvent dans la visée de Paul. Les chrétiens qui transgressent le grand commandement de la charité ne violent pas simplement une loi : ils attristent l'Esprit Saint, cette présence vivante de Dieu qu'ils possèdent, et ils l'attristent dans son intention la plus profonde, celle d'un amour qui veut réaliser l'unité.

La recommandation : « N'attristez pas... » donne toute sa force au verbe « attrister ». Certains ont proposé de traduire le verbe grec (*lupein*) par « offenser », « blesser », pour accentuer sa valeur [10], car Paul

10. C'est ce que propose J. GNILKA (*Der Epheserbrief*, Freiburg-Basel-Wien 1971, 238), en reprenant une suggestion de R. BULT-MANN (TWNT, 4, 234).

veut montrer la gravité de la faute. Cependant il paraît préférable de garder le sens normal d'« attrister » mais en observant qu'il ne faut pas minimiser l'importance de l'offense du fait qu'elle s'exprime en un terme affectif. L'accent mis sur la tristesse infligée au Saint Esprit vient précisément de la considération des relations d'amour entre Dieu et l'homme. Dans des relations d'amour, la tristesse de l'autre est ce qu'on cherche à éviter par-dessus tout.

L'exhortation paulinienne éclaire toute la morale : ce qui fait la gravité des manquements à la charité, ce n'est pas seulement le tort fait à autrui, mais plus encore l'offense à la personne du Saint Esprit. En même temps que la morale, la métaphysique reçoit une lumière. Loin d'être insensible au comportement humain, la personne divine de l'Esprit Saint souffre de tout péché contre l'amour.

4 — CONSCIENCE DU PECHE ET MYSTERE DE L'OFFENSE

Le péché constitue un mystère lié au mystère de la Trinité. En effet, une offense qui touche Dieu personnellement ne peut être qu'une offense aux trois personnes divines. En atteignant ces trois personnes, l'acte du péché dépasse les dimensions finies de l'être humain ; ce pouvoir de dépassement appartient à la grandeur de l'homme.

Il ne signifie pas, cependant, que chaque fois qu'il pèche, l'homme pense à l'offense faite à Dieu, ni qu'il prend attention à la peine infligée au Père, au Fils et à l'Esprit. On pourrait même dire qu'en se détournant de Dieu, il préfère ne pas s'intéresser à lui, et qu'il ne se soucie pas de l'impression produite sur Dieu par sa manière d'agir. Il cherche à se mettre en dehors de tout dialogue, de tout contact, ou encore il se fait illusion sur la gravité de l'offense. Nous ne pouvons considérer ici la grande variété psychologique que peut présenter la conduite peccamineuse, avec des degrés fort différents de conscience et de responsabilité. Mais nous devons retenir au moins l'appréciation la plus autorisée qui nous est rapportée dans l'évangile et vient de Jésus en personne : « Père, pardonne-leur, car ils ne savent ce qu'ils font » (Lc 23, 34)[11]. Or ce jugement, qui paraît la réponse à la condamnation par le Sanhédrin, est émis au sujet du plus grand péché commis par les adversaires, d'un péché qu'on pourrait appeler le péché suprême. La condamnation paraissait avoir été l'œuvre d'une intention méchante bien arrêtée ; elle avait été préparée par diverses tentatives de mettre à mort Jésus et elle était le résultat d'un complot ourdi contre lui. Malgré les dispositions de ses ennemis, le crucifié déclare qu'ils ne se rendent pas compte de la portée de leur

---

11. L'authenticité de l'invocation de Jésus a été mise en doute, parce que la phrase est omise dans certains manuscrits. Mais on comprend fort bien les raisons de l'omission, de la part de ceux qui n'étaient pas disposés à excuser les responsables de la crucifixion. Dans les récits de martyre de Juifs ou même encore de premiers chrétiens, sont rapportées des invectives contre les adversaires ou les juges. Par contre, l'imploration d'Etienne pour ses persécuteurs se fonde sur celle de Jésus, qui a inauguré un nouveau mode de comportement. Comme le note Grudmann après avoir énuméré les motifs en faveur de l'authenticité du texte, Jésus apparaît comme celui qui sur la croix demeure le Sauveur (*Das Evangelium nach Lukas*, 433).

acte [12]. On est en droit d'en inférer que dans beaucoup de cas où l'apparence serait celle d'une faute commise froidement et intentionnellement, la part d'inconscience est considérable. Cependant, il reste que, tout en invoquant cette part d'inconscience, Jésus demande au Père le pardon, ce qui signifie qu'une offense a été commise envers le Père, et que la responsabilité, tout en étant limitée, n'est nullement absente.

Dans la mesure où il y a volonté responsable, le péché attriste le Père, le Christ et l'Esprit Saint. Peut-être serait-il préférable de renverser en ce contexte l'ordre des personnes divines, et de dire que le péché attriste le Saint Esprit, le Christ et le Père. Il atteint d'abord l'Esprit Saint, parce que celui-ci est la première personne divine à sanctifier l'homme et à demeurer en lui, de telle sorte que dans les rapports d'intimité avec Dieu il est le premier à souffrir de l'offense. L'Esprit Saint attire l'homme au Christ et par la médiation du Christ le conduit au Père. Le pécheur se détourne du Christ, et lui inflige la tristesse dont le récit évangélique de Marc (3, 5) a donné un exemple. Par le Christ il atteint le Père, auquel son offense aboutit, et qui recueille la souffrance du

---

12. La demande de pardon de Jésus ne s'applique pas seulement aux soldats qui l'avaient mis en croix ; elle perdrait beaucoup de sa noblesse et de sa valeur si elle ne concernait que les exécuteurs de la sentence, qui, eux, ne faisaient que leur devoir et ne connaissaient pas le condamné. « Le pardon porte plus haut et sur toute l'œuvre du peuple juif entraîné par ses chefs, note Lagrange. Ceux-là étaient vraiment coupables et avaient grand besoin de pardon ; les preuves d'aveuglement volontaire, de haine et de duplicité ne manquent pas dans Luc ; cependant ils ne comprenaient pas l'énormité de leur crime ; leurs préjugés égaraient un zèle dont la source pouvait leur paraître pure » (*Evangile selon S. Luc*, 588).

Saint Esprit et du Christ, si bien qu'on peut définir la réalité totale du péché comme offense faite au Père. La souffrance du Père embrasse la souffrance des autres personnes divines. Ainsi s'explique le fait que la demande de pardon est adressée de manière prévalente au Père, comme Jésus lui-même l'a enseignée à ses disciples. Etant le terme ultime de l'offense, le Père est la suprême origine du pardon.

Soulignons que la révélation de l'offense faite aux diverses personnes divines attire notre attention sur le caractère personnel de l'offense : le péché n'atteint pas la nature divine mais les personnes divines dans leur amour. On ne pourrait donc se borner à la considération globale de l'offense faite à Dieu par le pécheur.

C. L'offense de Dieu en théologie spéculative

I — LE PROBLEME POSE A LA REFLEXION THEOLOGIQUE

De la révélation du péché telle qu'elle nous apparaît dans l'Ecriture, on doit donc retenir le principe fondamental que le péché offense Dieu, qu'il l'offense personnellement dans son amour pour nous, et que cette offense signifie une tristesse, une souffrance intime, infligée au Père, au Fils, à l'Esprit.

La théologie spéculative s'est efforcée en général d'expliquer l'offense en préservant l'immutabilité divine ; elle a notamment cherché à réduire l'offense au comportement humain, à l'intention ou à la disposi-

tion personnelle du pécheur, en niant tout retentisse
ment véritable en Dieu.

Caractéristique par exemple de cette réduction
au seul aspect humain est la définition du péché
comme refus d'amour [13]. Il est vrai que le péché est un
refus d'aimer Dieu, et que par là il provoque une
rupture dans les relations personnelles de l'homme
avec celui qui est son Créateur et son Rédempteur.
Cependant le refus se borne à exprimer, dans ces relations, ce qui se produit du côté de l'homme, et néglige
ce qui se passe en Dieu. Pour qu'il y ait réelle offense
il faut que Dieu soit atteint, et que par conséquent il
subisse en lui-même un effet du refus humain.

Maritain a posé nettement la question : « Est-ce
que, en définitive, le péché des êtres qu'il a faits n'est
pas *le mal de Dieu* ? Est-ce que le péché qui s'étale
tout au long de l'histoire du monde, et chacun des
péchés commis par chacun de nous, ne "font" pas
"quelque chose" à Dieu lui-même ? » [14] Il commente
à ce propos la formule de l'acte de contrition, où l'on
dit regretter le péché, parce qu'il déplaît à Dieu : « Ce
mot *déplaît* est un mot ambigu et à vrai dire hypo-
crite ; une chose qui me déplaît, ça peut signifier simplement une chose qui *ne* me fait *pas* plaisir tout en
me laissant parfaitement indifférent, et ça peut signifier aussi une chose qui me déplaît *positivement*, et
qui dès lors m'atteint et me blesse en quelque façon ;
et dans la formule en question ce second sens est là
(métaphorique, à coup sûr, et pourtant capital), il est

13. **Définition** proposée par J. REGNIER, *Le sens du péché*,
Paris 1954.
14. *Quelques réflexions*, RT 1969, 20.

à mais soigneusement voilé par le premier. » Une remarque analogue concerne le mot « nos offenses » ; il peut signifier une infraction faite aux lois d'un souverain, ou une irrévérence, qui méritent punition mais ne l'atteignent nullement lui-même, et il peut signifier la faute d'un fils qui atteint son père au cœur en le blessant dans son amour, second sens voilé par le premier [15].

Cette critique du langage fait mieux apparaître le problème. Dans la tradition chrétienne, les affirmations scripturaires concernant le péché, offense de Dieu, ont été retenues. Ainsi le repentir chrétien n'est pas le simple regret de celui qui regarde sa propre conduite et y constate l'erreur ou la faute, mais il consiste dans un regard qui se lève vers le Dieu offensé, dont il désire implorer le pardon. Ce regard qui évite de concentrer l'attention sur soi-même et se tourne vers l'amour divin est essentiel. La volonté de réparation ne peut se comprendre non plus si le péché n'a pas réellement offensé le Dieu aimant : en effet cette réparation n'est pas uniquement la restauration de ce qui avait été lésé dans l'homme par le péché, mais c'est une réparation personnelle envers Dieu, qui s'assigne pour but de compenser l'offense qui avait blessé l'amour divin.

Cependant n'y a-t-il pas des équivoques qui se cachent dans le langage de l'offense, équivoques qui permettent à la théologie d'éluder ou de voiler le problème de la souffrance de Dieu, et de considérer uniquement l'attitude humaine ?

---

15. *Ibid.*, 20-21.

2 — LES POSITIONS DE SAINT ANSELME ET DE SAINT THOMAS

Dans sa théorie de la rédemption, saint Anselme avait pris comme point de départ une notion de péché qui, à première vue, aurait comporté un effet en Dieu : « Celui qui ne rend pas à Dieu cet honneur qui lui est dû, enlève à Dieu ce qui lui appartient, et déshonore Dieu : c'est cela pécher » [16]. La notion revêtait une importance fondamentale pour la définition de la satisfaction, qui consiste à restituer à Dieu, avec un surplus, l'honneur qui lui a été enlevé. Cependant comment peut-on enlever de l'honneur à Dieu ? Lorsqu'il se pose la question, Anselme répond aussitôt par un mouvement de retrait : « A l'honneur de Dieu pour autant que cela le concerne, on ne peut rien ajouter ni diminuer. Car c'est ce même Dieu qui est lui-même pour soi son honneur incorruptible, et tout à fait immuable » [17]. Dès lors, en quoi consiste le geste du péché qui déshonore Dieu ? « Nul ne peut honorer ni déshonorer Dieu pour ce qu'il est en lui-même mais l'homme, pour autant qu'il le peut, paraît le faire, lorsqu'il soumet ou soustrait sa volonté à la volonté divine » [18]. Enlever l'honneur devient donc simple apparence : l'homme « paraît » le faire, mais ne le fait pas réellement.

On devrait se demander si dans ce cas l'offense est encore réelle. La notion de péché proposée par

---

16. *Cur Deus Homo*, I, 11, PL 158, 376 C ; SC 91, 265.
17. *Ibid.* I, 15, PL 158, 380 A ; SC 91, 279.
18. *Ibid.* I, 15, PL 158, 381 B ; SC 91, 281-3.

saint Anselme ne correspond d'ailleurs pas à la notion biblique d'offense à l'amour divin ; elle semble plutôt inspirée par la conception médiévale chevaleresque de l'honneur. Cette conception permet de s'en tenir à une notion plus extérieure de l'offense, et d'esquiver plus facilement le problème que pose la représentation scripturaire d'une blessure intime infligée à Dieu.

Saint Thomas pose en principe que le péché est une offense de Dieu : « On doit dire qu'en péchant l'homme offense Dieu »[19]. Cette offense ne se réduit pas à une offense que l'homme se fait à lui-même, comme on serait tenté de le conclure d'une autre affirmation : « Dieu n'est offensé par nous qu'en raison du fait que nous agissons contre notre bien »[20]. Que le motif de l'offense soit le tort que nous nous portons à nous-mêmes, il n'en résulte pas que l'offense ne soit pas offense de Dieu. En effet Dieu est offensé dans l'amour qu'il entretient pour nous.

L'offense est si réelle qu'elle prend une ampleur infinie, parce qu'elle atteint un Dieu infini : « Le péché commis contre Dieu a une certaine infinité en raison de l'infinité de la majesté divine : car l'offense est d'autant plus grave que plus grand est celui contre lequel on pèche. »[21]

Cependant, dès qu'il s'agit d'expliquer cette offense et d'examiner si elle atteint l'amour divin en lui-même, on constate chez le Docteur Angélique le même mouvement de retrait que chez saint Anselme :

19. *S. Th.*, Ia IIae, q. 113, a. 2, c.
20. *Contra Gent.*, 3, c. 122 init.
21. *S. Th.* III, q. I, a. 2, ad 2.

en soi, comme acte divin, l'amour de Dieu est « éternel
et immuable » [22], mais seul l'effet de cet amour en
nous peut changer, en raison de notre propre attitude.
« En péchant, le pécheur ne peut nuire en rien à Dieu
effectivement. Cependant pour sa part, il agit double-
ment contre Dieu : premièrement en tant qu'il le méprise dans ses commandements ; deuxièmement en
tant qu'il inflige un dommage à quelqu'un, à soi-même
ou à un autre ; et cela concerne Dieu, puisque celui
à qui est infligé le dommage est placé sous la providence et la protection de Dieu » [23]. A la différence de
saint Anselme, saint Thomas ne dit pas que le pécheur
« paraît » atteindre Dieu, mais il réduit l'offense à
une attitude subjective de l'homme qui méprise Dieu,
et à un dommage qui touche la créature et ne concerne
Dieu qu'indirectement.

Cette explication permet-elle de rendre compte
du donné biblique ? Elle ne retient qu'une disposition
subjective, une intention d'offenser Dieu, sans que
cette intention aboutisse et qu'il y ait véritable offense
personnellement ressentie par Dieu. Avec son amour
immuable, Dieu demeure inaccessible aux offenses des
hommes. La transcendance divine est mise en relief,
mais la vérité de l'offense faite à Dieu n'apparaît plus.
Si l'offense ne touche que l'homme, il doit en aller
de même de la réparation ou de la satisfaction : « dans

---

22. S. Thomas le dit à propos de la paix que Dieu fait avec celui
    qui l'a offensé : cette paix signifie non un changement dans
    l'amour divin en lui-même, qui passerait du stade de l'offense
    à celui de la réconciliation, mais uniquement un changement
    dans l'effet que l'amour divin imprime en nous (S. Th., Ia IIae,
    q. 113, a. 2, c).
23. S. Th., Ia IIae, q. 47, a. 1, ad 1.

a perspective thomiste, dit J. Lécuyer, il n'y a pas le place pour un effet que la satisfaction produirait ur les sentiments de Dieu lui-même à l'égard des »écheurs »[24]. Le même auteur critique les théologiens [ui s'expriment « comme si la satisfaction opérée par ésus avait un effet sur Dieu lui-même, et non pas eulement sur l'homme pécheur »[25]. Il est logique que i le péché laisse Dieu insensible en lui-même, la même nsensibilité se vérifie pour la satisfaction. Mais toute a question est de savoir si le sacrifice de Jésus, pas ›lus que le péché, n'a affecté le Père.

‹ — L'ANALYSE DE L'OFFENSE, DANS LA SOMME)E SALAMANQUE

Dans l'analyse de la portée de l'offense, le Carme le Salamanque Dominique de Sainte Thérèse († 1654) ‹st allé plus loin que ses prédécesseurs, grâce à une liscussion plus systématique et plus approfondie.

Il fait d'abord soigneusement la distinction entre ›ffense passive et offense active. L'offense, dit-il, peut ≀tre prise « au sens passif, pour le dommage et le tort causés à la personne offensée, en vertu desquels a personne même est dite formellement offensée et lésée : c'est l'offense formelle ». Elle peut aussi « être prise au sens actif, pour l'action nocive qui a produit un tel dommage, en vertu de laquelle quelqu'un est

24. *Note sur une définition thomiste de la satisfaction*, Doctor Communis 8 (1955) 29.
25. *Ibid.* 30.

appelé l'offenseur : on peut donc l'appeler offens
causale ou active » [26].

La difficulté concerne surtout l'offense formell
ou passive. Doit-on admettre que l'offense passive s
termine à Dieu comme à un objet, et que Dieu est d
extrinsèquement offensé, comme il est dit extrinsèque
ment aimé par un acte de charité ? Ou faut-il pense
que cette offense a un effet moral qui entre dan
le sujet offensé, et que Dieu se trouve à l'égard d
cette offense, comme un sujet, d'une certaine manièr
intrinsèquement offensé ? A la suite de « graves théo
logiens », Dominique de Sainte Thérèse adopte cett
dernière opinion [27].

De l'acte de péché, offense active, résulte en Dieu
selon la disposition du pécheur l'offense passive, « à
la manière d'une sorte de lésion morale du droit divin
visée par le pécheur, en vertu de laquelle Dieu es
appelé intrinsèquement, d'une certaine façon, offensé
outragé, et endommagé ». Ainsi l'offense passive a
pour caractéristique « non pas tant d'être le mal du
pécheur ou de l'action du péché que le mal de Dieu
lui-même qui par le péché est offensé et endommagé :
et c'est pourquoi pour elle ce qui est dû, ce n'est pas
tant la peine pour le pécheur ou le péché que la satis
faction et la restitution au Dieu offensé » [28].

Ce qui le confirme, c'est que l'offense que constitue le péché mortel est « simplement infinie » ; or
rien dans l'acte du péché ou dans le pécheur ne pour-

26. *De vitiis et peccatis*, disp. 7. dub. 2 § 3, 22 (*Collegii Salaman-
ticensis Cursus Theologicus*, 7, Paris 1877, 210).

27. *Ibid.*, 23, p. 211.

28. *Ibid.*, 24, p. 211.

rait être simplement infini. L'offense ne peut se trouver que dans le Dieu offensé » [29].

Mais l'objection vient inévitablement : Dieu ne peut changer intrinsèquement ; donc si on le dit offensé, c'est « extrinsèquement, en vertu de l'offense qui existe dans le pécheur lui-même et dans son acte, comme il est dit honoré et vénéré par l'honneur et le culte qui existent dans celui qui l'honore » [30].

Dominique de Sainte Thérèse répond que « le pécheur par son acte ne pose rien en Dieu effectivement et efficacement, mais qu'il pose ou lui enlève quelque chose affectivement ». Il cherche à expliquer son affirmation en disant que le pécheur, de par ses dispositions affectives, a l'intention de léser Dieu, car il ne lui rend pas l'honneur, le culte, l'amour suprême qui lui est dû, et il lui enlève sa valeur de fin dernière. Or ce sont des biens intrinsèques pour Dieu, de sorte que la lésion et le dommage visés sont intrinsèques. Certes, ce dommage intrinsèque n'est pas effectif, car malgré sa volonté, le pécheur ne pourrait léser effectivement le domaine divin. Mais l'offense n'en a pas moins une gravité infinie, car elle est dans l'ordre de l'injure morale : Dieu s'estime offensé et lésé comme si son domaine était effectivement détruit. En ce sens, l'offense est en Dieu, et l'affecte d'une certaine manière intrinsèquement [31].

La nécessité absolue des perfections divines « montre qu'elles ne peuvent être effectivement détruites, mais elle ne prouve pas que le pécheur ne

29. *Ibid.*
30. *Ibid.*, 26, p. 211.
31. *Ibid.*, 28, p. 213.

puisse en priver Dieu affectivement, selon l'explication donnée ». L'offense est en Dieu, « comme un mal voulu par les dispositions affectives du pécheur »[32]. On ne pourrait en déduire que Dieu devient mauvais en raison de ce mal, car est mauvais celui qui fait le mal, non celui qui le supporte ; ainsi le mal d'une peine, qui se trouve en celui qui souffre, ne le rend pas mauvais. Si le mal est attribué à Dieu, la qualification propre qui convient ici est celle du Dieu « offensé, endommagé, injurié, lésé »[33].

Dans cette interprétation de l'offense, on doit noter la hardiesse de l'auteur, qui n'hésite pas à affirmer que Dieu est intrinsèquement offensé. Ce qui soutient cette hardiesse, c'est notamment la préoccupation de sauvegarder la doctrine de la satisfaction infinie. Celle-ci est postulée par une offense infinie ; or l'offense ne peut être infinie que si elle atteint réellement et intrinsèquement Dieu. Devant l'objection de l'immutabilité divine, la solution adoptée consiste à nier tout dommage effectif, en admettant seulement une lésion morale. Lorsqu'il est question de « dommage de Dieu intenté par le pécheur, et qui lui a été infligé affectivement et selon l'estimation morale »[34], l'accent est mis sur les dispositions affectives du pécheur plutôt que sur l'affectivité divine et l'amour divin. D'ailleurs la conception de la lésion morale produite par le péché reste juridique, puisqu'elle consiste dans la tentative de priver Dieu de ses droits souve-

---

32. « Et hoc modo offensa est in Deo, scilicet ut malum intentatum ex affectu peccantis » (*Ibid.*, 28, p. 214).
33. *Ibid.*
34. *Ibid.*

rains. Cependant l'affirmation d'une offense intrinsèque à Dieu demeure ; elle implique une atteinte portée réellement à Dieu dans l'ordre moral ou affectif.

Par là, cette conception théologique serait en mesure de s'accorder davantage avec la présentation biblique du péché, bien qu'elle ne la considère pas expressément. Par l'idée d'une offense d'ordre affectif, elle pourrait en effet aider à préciser comment l'amour divin est réellement blessé par le péché des hommes.

D. Eléments de réponse au problème : analogie et différences

1 — L'ANALOGIE FONDAMENTALE

Nous comprenons l'offense de Dieu à travers l'expérience de l'offense faite à un homme. Il n'y a pas d'autre voie possible pour la compréhension de ce qui se passe en Dieu : nous ne pouvons jamais découvrir la nature des relations entre Dieu et l'homme qu'en nous appuyant sur notre connaissance des relations entre les hommes. C'est le langage employé par les Ecritures, où le péché est décrit comme l'offense infligée à un père par son enfant, ou comme l'outrage que constitue pour un époux l'infidélité de sa femme. Nous avons déjà souligné qu'on doit admettre la valeur de ce langage, qui est porteur de révélation, et que l'offense fait réellement souffrir celui qui est offensé.

Il y a véritable analogie, et pas seulement métaphore. Tout en affirmant que nous devons chercher

dans une perfection divine l'exemplaire éternel de ce
qu'est en nous la douleur avec sa noblesse, J. Mari
tain estime que « le concept et le mot de douleur
ne peuvent être employés à l'égard de Dieu que méta
phoriquement », et cela en raison de la limitation e
de l'imperfection qui s'y expriment [35]. Il se pourrai

35. *Quelques réflexions*, RT 1969, 23. Selon Maritain, outre le
concepts manifestement analogiques (d'une analogie de propor
tionnalité propre), tels que l'être, la vérité, la bonté et le
concepts invoqués dans le langage courant, qui sont élevé
par le théologien à un sens analogique, selon l'analogie de
proportionnalité propre, comme les concepts de père et de
paternité, il y a des concepts qui ne peuvent être dits de Dieu
que métaphoriquement : ce sont les concepts dont l'obje
implique limitation et imperfection. Les uns ne désignent
dans la réalité expérimentée par nous à laquelle ils se rappor
tent, aucune perfection émergente au-dessus du sensible : par
exemple le « rocher ». Les autres désignent une perfection
émergente au-dessus du sensible : c'est le cas pour la douleu
dans la personne humaine, car cette douleur, tout en étan
un mal et une imperfection, devient la proie de l'esprit, qu
lui confère une incomparable noblesse.

Cette conception de l'analogie nous paraît trop étroite. Lors
qu'un concept désigne une perfection d'ordre spirituel, même
si elle est liée à une limitation ou imperfection, il doit pouvoir
être appliqué à Dieu analogiquement, car pour l'analogie i
suffit d'une ressemblance essentielle. Il reste à préciser la
mesure des différences dues à la limitation ou à l'imper
fection, mais elles ne suppriment pas la ressemblance.

S'il y a une douleur éprouvée par l'esprit, qui est une
« incomparable noblesse », il semble qu'en l'attribuant à Dieu
on doive la lui appliquer non pas métaphoriquement mais
analogiquement. Ainsi, le Dieu offensé par le péché des hom
mes est un Dieu qui dans cette offense éprouve une souffrance
souffrance à comprendre au sens analogique. En ce qu
concerne l'aspect de limitation et d'imperfection, il faut affir
mer que cette douleur ne comporte en Dieu ni imperfection
d'ordre moral, ni ce qu'on pourrait appeler imperfection phy
sique, c'est-à-dire diminution de l'être divin. Il reste unique
ment que la douleur est douleur, et qu'en Dieu comme er
l'homme elle signifie une peine éprouvée personnellement
C'est le sens de l'analogie. De même que la paternité, une fois

qu'il n'y ait là qu'une question de vocabulaire, car en fait les réflexions de Maritain tendent à appliquer à Dieu ce qu'il y a de plus essentiel dans la douleur. Or, quand la signification essentielle d'un concept tiré de l'expérience humaine s'applique à Dieu, on ne se trouve pas devant une métaphore mais devant une analogie. L'affirmation : « Dieu est mon rocher » est métaphorique, parce que la réalité essentielle d'un rocher ne se trouve pas en Dieu, et que seule est visée la puissance inébranlable de protection que suggère l'image du rocher. Est métaphorique également la description du père qui court vers le fils prodigue pour l'embrasser ; courir et embrasser sont des actions humaines qui ne se vérifient pas en Dieu. Mais la joie éprouvée par le Père au retour du pécheur n'est pas simple métaphore, pas plus que la souffrance ressentie par le Père lors de l'éloignement de son enfant. Souffrance et joie se produisent en Dieu analogiquement, parce que la réalité la plus essentielle de ce que nous appelons souffrance et joie se vérifie en lui.

Lorsque nous disons que Dieu souffre, nous n'employons pas une image qui en Dieu perdrait son sens propre, et désignerait une réalité foncièrement différente de ce qu'est la souffrance en nous. Nous affirmons une ressemblance foncière entre la douleur que nous connaissons par expérience et celle qui nous a été révélée comme appartenant au Dieu sauveur. Il y

dégagée de son contexte corporel humain, est appliquée analogiquement à Dieu, la douleur, elle aussi retirée de son enveloppe de sensibilité matérielle, est légitimement attribuée à Dieu par voie d'analogie.

a une authentique expérience divine de la souffrance [36].

Cependant, nous devons tenir compte des différences impliquées au sein de l'analogie. Notamment,
nous devons purifier la notion d'offense de toutes les
imperfections qui peuvent caractériser l'offense humaine. Cela nous permettra en même temps de mieux
saisir en quel sens Dieu souffre du péché : ce ne peut
être qu'en un sens très noble, accordé à la souveraine
perfection divine.

2 — SOUFFRANCE DE PUR AMOUR

Tout d'abord, nous devons exclure de l'offense
de Dieu toute souffrance due à l'égoïsme ou à l'orgueil. Souvent, l'offense faite à un homme provoque
une réaction de susceptibilité, une irritation qui manifeste l'amour-propre blessé. Lorsque quelqu'un s'estime outragé dans son honneur, son attitude peut
signifier l'exaspération d'un attachement à soi-même,
d'une ambition pleine de prétention, d'une revendication outrancière de la valeur personnelle. Même celui
qui réagit au nom de la justice, ou du respect de ses
propres droits, peut en réalité poursuivre cette justice
et ces droits pour son propre avantage, avec une in-

36. Pour rendre compte de cette souffrance, il ne suffirait pas
de parler simplement de privation d'une joie. C'est l'explication
que tente Maritain : « Chaque fois que pèche une créature,
Dieu est privé d'une joie (« de surplus », selon notre manière
de voir) qui lui était due par un autre et que cet autre ne
lui donne pas » (Quelques réflexions, RT 1969, 19). La privation
de joie est réelle, mais l'offense de Dieu comporte, avec cette
privation, une vraie souffrance. Pour revenir à l'image de
l'Evangile, le père du fils prodigue n'a pas seulement été privé
d'une joie ; il a été attristé de l'éloignement de son enfant.

tention égoïste. En Dieu, pareil égoïsme ne peut exister : l'offense ne touche que l'amour divin.

Même certaines représentations bibliques ont besoin d'une purification. Dans la manière de concevoir l'irritation divine à la suite du péché, elles tendent à évoquer un homme blessé dans son orgueil, à dépeindre une susceptibilité froissée. De même, il arrive que la jalousie attribuée à Dieu ressemble trop à une revendication d'amour-propre, alors qu'elle est foncièrement destinée à exprimer l'intensité exclusive de l'amour. On ne peut retenir des images employées que ce qui est conforme à la perfection de l'amour divin.

Des considérations théologiques sur l'offense ont pu, elles aussi, donner l'impression d'une disposition divine analogue à l'égoïsme et à l'orgueil, disposition qui ne porterait pas ces noms parce qu'on la tiendrait pour légitime en raison de la situation exceptionnelle de l'être divin. Dieu serait offensé en raison de l'attachement à sa propre gloire, car à la différence de l'homme, il pourrait et devrait assurer sa gloire, la faire prévaloir en toutes circonstances ; ou encore il serait atteint dans ses prérogatives, dans ses droits souverains, dont il ne pourrait qu'exiger le respect intégral de la part des créatures. Or on doit nier en Dieu tout attachement égoïste à soi-même. L'offense ne peut être conçue comme une violation des droits divins que si l'on précise aussitôt que Dieu ne recherche pas le respect de ses droits pour lui-même, mais qu'il a uniquement pour but le bien de l'homme. S'il revendique son droit d'être aimé, c'est parce que lui-même aime les hommes et qu'il désire leur assurer l'accomplissement de leur destinée. Ce n'est pas en

vertu de l'attachement à sa propre gloire qu'il est
offensé, mais en vertu de l'attachement à la perfection
de l'humanité.

S'il y a une souffrance qui en Dieu résulte de
l'offense, ce n'est donc que la souffrance de l'amour.
Dieu souffre de voir ceux qu'il aime se détourner de
lui, parce qu'en se détournant de lui, ils se font tort
à eux-mêmes et détruisent la valeur de leur propre
existence. On peut rappeler à ce propos que le seul
trait d'une souffrance paternelle, dans la parabole du
fils prodigue, est exprimé au moment où le père voit
la misère de son enfant et « est pris de pitié » (Lc 15,
20).

Est-ce à dire que la souffrance éprouvée par Dieu
à la suite du péché se réduit à la compassion pour
le pécheur ? En fait, dans son amour, Dieu souffre
de l'attitude du pécheur : il est vraiment blessé comme
on l'est lorsqu'on aime quelqu'un qui répond à l'amour
par le refus ou l'hostilité. C'est ainsi qu'il est atteint
personnellement. On ne pourrait réduire le « souffrir
de » au « souffrir avec ». Mais ce qui est vrai, c'est
que, la souffrance de l'offense étant celle de l'amour,
elle se traduit par la compassion pour l'offenseur.

Le « souffrir de », remarquons-le, est plus profond
lorsqu'il résulte de l'amour que lorsqu'il est provoqué
par un attachement égoïste à soi-même, parce que
dans l'amour la personne s'engage plus à fond. Il en
est ainsi chez les hommes, dont les douleurs les plus
vivement ressenties sont celles de l'amour repoussé
ou malheureux. En affirmant qu'en Dieu la souffrance
personnelle suscitée par l'offense est pure de tout
égoïsme, on peut en reconnaître davantage la profondeur.

Souffrance de pur amour, la souffrance divine constitue un modèle pour la souffrance humaine. Elle forme l'idéal que les hommes doivent tendre à réaliser dans leurs propres douleurs et qu'ils ne peuvent atteindre que partiellement, en raison de l'égoïsme qui demeure en eux et dont l'élimination totale, même dans le régime ordinaire de la vie de la grâce, n'est pas possible. Aussi est-ce en Dieu que la souffrance apparaît dans toute sa noblesse : un parfait amour lui confère une mystérieuse valeur de perfection. Dès lors, nous pouvons saisir plus vivement comment la souffrance ne peut être incompatible avec la perfection divine. Ce qui est pure expression d'amour ne pourrait contredire une sainteté absolue qui est elle-même amour.

3 — SOUFFRANCE EN VERTU D'UNE LIBRE DECISION

La deuxième correction imposée par l'analogie de la souffrance en Dieu et en l'homme concerne sa nécessité. Dans l'existence humaine, la douleur vient comme une part inéluctable de la destinée et du développement de l'être. L'homme ne pourrait pas choisir entre une voie où il serait exempt de toute souffrance et une autre où il en fait l'expérience. Même lorsqu'il s'agit de souffrances infligées à l'amour, il n'est pas libre de les éloigner. Il ne peut se soustraire à la tristesse quand il est déçu ou outragé par celui qu'il aime. Un père offensé par son fils souffre nécessairement, du moins lorsqu'il est animé d'un véritable amour paternel.

Dieu, au contraire, n'est pas soumis par nécessité à la souffrance. S'il souffre, c'est que lui-même a décidé de s'engager dans cette voie, et qu'il l'a décidé avec toute la liberté transcendante qu'il possède. La douleur n'est pas pour lui un joug sous lequel il serait contraint de plier. Ainsi, s'il est réellement offensé par le péché des hommes, c'est parce que lui-même s'y est exposé, en toute connaissance de cause, lorsqu'il s'est résolu à vouer aux hommes l'amour le plus complet.

De soi, dans sa nature divine, il est invulnérable. Dans les relations avec les hommes, il est souverain maître de lui-même, et notamment de son invulnérabilité. La Bible nous montre précisément comment par l'alliance il s'est rendu vulnérable. En établissant des relations amicales avec le peuple que lui-même a choisi, il s'est mis à son niveau, et volontairement a accepté d'avance toutes les souffrances qui pourraient en résulter pour lui.

Il est vrai qu'une fois engagé dans cette alliance il ne peut plus reculer, parce qu'il se l'est interdit à lui-même ; il ne peut plus retirer l'amour qu'il a commencé à donner, et dès lors il souffre nécessairement quand son amour est méconnu ou bafoué. Mais cette souffrance qu'il ne peut pas ne pas ressentir appartient à un amour qui a été voulu de façon entièrement libre, sans aucune contrainte ni nécessité intime. Dieu ne souffre donc que dans la mesure où il en a admis volontairement pour lui-même la possibilité et le risque.

Par conséquent, à ceux qui tiennent pour l'impossibilité de souffrance en Dieu, on doit répondre que cette impossibilité, qui semblerait à première vue manifester l'absolue souveraineté divine, ne la préserve pas suffisamment. On ne peut refuser à Dieu le pouvoir souverain de s'exposer à la souffrance dans de libres relations d'amour avec les hommes ; nous n'avons pas le droit de restreindre la transcendance de sa liberté, et de poser des limites à la profondeur de ses engagements.

A titre de pure hypothèse, on peut dire que Dieu aurait pu refuser de se laisser impliquer dans le drame du péché. Il aurait pu s'en tenir à une totale invulnérabilité, et rester inaccessible à tous les outrages humains. Dans ce cas, le péché ne l'aurait pas atteint, et n'aurait donc pas constitué pour lui une offense ; il aurait été uniquement un dommage porté par le pécheur à lui-même. Mais nous n'avons même pas à entrer dans ces vues hypothétiques, car en fait Dieu a voulu établir ses rapports avec l'homme sur la base d'un amour qui ne pouvait pas rester indifférent au péché. En ce sens, toutes les souffrances qui en résultent pour lui ont été délibérément assumées, une fois pour toutes, dans cet amour primordial.

4 — SOUFFRANCE QUI N'ALTERE PAS LA PERFECTION ESSENTIELLE

Une troisième différence existe entre Dieu et l'homme au point de vue de la souffrance. Pour Dieu, la souffrance ne peut comporter aucune diminution ; elle ne peut signifier aucune lésion de son être divin. La valeur qu'elle revêt par l'amour qui s'y exprime ne peut non plus rien ajouter à la perfection absolue de Dieu.

Pour l'homme, la souffrance est vécue comme un obstacle, une résistance dans le développement harmonieux de l'être. Elle signifie une limitation, parfois une amputation des facultés humaines. Même lorsqu'elle est simplement souffrance de l'amour, elle porte un coup à l'homme, car celui-ci a besoin, pour sa perfection personnelle, d'aimer et d'être aimé. Lorsque son amour est contrarié, l'homme est entravé dans son perfectionnement.

Par contre, Dieu n'a nullement besoin d'aimer les hommes ni d'être aimé par eux ; lorsqu'il aime, il n'accroît pas sa perfection, et lorsqu'il n'est pas aimé, cette perfection ne subit aucune privation.

C'est ainsi que le péché, selon la doctrine biblique, ne porte aucun dommage à Dieu, et ne nuit qu'à l'homme. Au point de vue de la perfection de son être, Dieu demeure inaccessible à l'offense ; il reste intact dans sa transcendance. Là se vérifie son absolue immutabilité. Elle crée une différence capitale entre l'offense faite à Dieu et l'offense faite à l'homme. Elle justifie ce que certains ont dit de la tendance inscrite dans l'acte du péché, tendance à dépouiller Dieu de ses prérogatives mais impuissante à y parvenir. L'offense ne peut pénétrer à l'intérieur de la nature divine, ni ébranler l'être tout-puissant. Si dans le pécheur il y a une volonté de nuire à Dieu, de lui faire du tort, ce ne peut être qu'une intention vaine et inefficace.

L'immutabilité qui est affirmée ici est une immutabilité ontologique. Dans la considération de la souffrance divine, on ne pourrait se borner à affirmer l'immutabilité morale qui consiste dans la persévérance de l'amour [37]. Il est certes vrai que Dieu est fidèle dans son amour, et que parmi les diverses formes que prend cet amour pour rester identique à lui-même dans les relations avec les hommes, il y a celle de l'amour douloureux. La souffrance est donc l'expression d'un amour immuable. Mais l'immutabilité divine ne pourrait se réduire à celle de l'amour divin envers l'humanité. On ne peut méconnaître l'immutabilité plus fondamentale de l'être divin, immutabilité qui marque la distance entre la souffrance divine et la souffrance humaine.

37. L'interprétation de l'immutabilité de Dieu par la fidélité personnelle à l'alliance a été proposée par H. MUEHLEN, *Die Veränderlichkeit Gottes*, 28-30. Dans son ouvrage *Incarnation de Dieu* (trad. fr., 639), H. Küng écrit : « Lorsque l'Ecriture parle de l'immutabilité de Dieu, ce n'est pas au sens métaphysique d'une rigide immobilité naturelle du fondement du monde, mais au sens historique d'une fidélité essentielle à soi-même et à ses promesses, fidélité qui garantit à son agir constance et continutié. »

IV

SOUFFRANCE
ET AMOUR RÉDEMPTEUR

A. Réalité et valeur de la souffrance en Dieu

1 — DISTINCTION DE L'ETRE NECESSAIRE ET DE L'AMOUR GRATUIT

Dans l'analyse de l'offense, nous avons vu comment une distinction fondamentale s'impose entre l'être divin qui n'est nullement diminué ni lésé, et l'amour divin qui est blessé par l'attitude hostile du pécheur. Cette distinction éclaire le problème le plus général de la souffrance de Dieu. La souffrance de Dieu, dans la Passion, n'est pas, à strictement parler, souffrance de l'être divin, mais souffrance de l'amour divin, plus exactement de l'amour voué par les personnes divines à l'humanité.

La distinction correspond à celle qu'avait proposée le Carme de Salamanque Dominique de Sainte Thérèse lorsqu'il disait que par le péché Dieu est intrinsèquement blessé, non pas en subissant un dommage effectif, mais uniquement dans l'ordre affectif.

Selon cette thèse le pécheur ne peut priver Dieu d'au
cune de ses prérogatives ni le léser réellement dans
ses droits ; il ne peut que l'atteindre affectivement [1]
Sur cette appellation d'offense « affective » pourrai
subsister une équivoque. Dominique de Sainte Thé
rèse l'explique par l'attitude affective du pécheur, qu
tend à priver Dieu de ses droits. Mais cette offense
« affective » reste-t-elle uniquement attitude de l'hom
me, en ce sens que l'offense ne signifierait qu'une
intention affective, ou implique-t-elle également que
l'affectivité divine est vraiment atteinte, blessée par
l'attitude humaine ? Sur ce point, le théologien de
Salamanque est plus discret, mais puisqu'il a affirmé
une blessure intrinsèque à Dieu, il semble que logi
quement on doive admettre une blessure infligée à
l'affectivité divine. Sinon, l'offense intrinsèque, qu'il
appelle le mal de Dieu, ne serait qu'une apparence.

En Dieu, il faut admettre une affectivité tournée
vers les hommes, et c'est là que se situe la souffrance,
soit celle qui résulte de l'offense, soit celle qui est
impliquée dans le sacrifice rédempteur. Lorsque les
personnes divines souffrent dans leur affectivité, elles
ne subissent aucune lésion dans leur être divin.

Peut-on éclairer davantage cette distinction ? Par
tant du principe de la simplicité de l'être divin, on
pourrait faire objection à une distinction de ce genre,
en affirmant l'identité, en Dieu, de l'être et de l'acti
vité. Si Dieu est amour, l'être divin peut-il être distin
gué de l'amour divin ?

Il est vrai qu'il y a en Dieu une identité de l'être
et de l'« acte pur ». Mais lorsque nous parlons, dans

1. *De vitiis*, 210-214.

a considération du problème de la souffrance, de l'affectivité divine ou de l'amour divin, nous n'envisageons pas l'amour impliqué dans l'essence divine. Nous regardons seulement l'amour que Dieu porte aux hommes. Or cet amour est libre et gratuit ; il n'est nullement nécessaire. Cet amour aurait pu ne pas exister, alors qu'il serait absurde de penser que l'amour intratrinitaire aurait pu ne pas être. La liberté souveraine de l'amour de Dieu envers les hommes est un principe sans cesse mis en lumière par l'Ecriture ; toute la doctrine de la gratuité de la grâce et du salut en dérive.

Si l'amour divin pour les hommes a pour caractéristique primordiale d'être libre, il ne peut se confondre avec l'être divin qui, selon notre mode de parler, est nécessaire. Au point de vue de la liberté et de la nécessité, on doit reconnaître une distinction ; cette distinction est fondamentale parce qu'elle concerne la raison d'exister.

Observons d'ailleurs que l'amour divin reste toujours libre, et qu'il garde constamment la spontanéité gratuite avec laquelle il se porte vers l'humanité. La liberté n'est pas une caractéristique d'origine qui pourrait se perdre par la suite. Elle ne cesse de différencier cet amour de l'amour intratrinitaire et de l'être divin lui-même.

La souffrance n'est possible que dans le domaine de cet amour libre et gratuit ; elle ne peut franchir la différence foncière qui demeure entre cet amour et l'être nécessaire de Dieu ; elle ne peut donc causer aucune diminution ni aucun dommage à l'essence divine.

Que cette différence demeure un mystère, personne ne songerait à le nier. Nous ne pouvons comprendre, par notre expérience humaine, comment il est possible à Dieu de s'engager librement dans son amour pour les hommes, et de ne pas être affecté, dans son être, par cet amour. Nous pourrions soupçonner, en vertu de notre expérience, comment un engagement superficiel, pris à la manière d'un jeu, peut rester indifférent à une personne, ne pas la toucher dans ses dispositions intimes. Mais nous ne pouvons saisir comment il est possible de vouer à un autre un amour profond en se gardant intact, inaffecté, dans un espace intérieur qui reste inaccessible aux mouvements et aux vicissitudes de cet amour.

En Dieu, l'amour libre destiné à l'humanité est extrêmement profond, et cependant il ne se confond pas avec l'amour intra-divin, qui demeure à l'abri de toute atteinte. Si profonde que soit la souffrance divine, elle ne peut affecter la réalité de cet amour foncier.

2 — L'AFFECTIVITE DIVINE

L'expression « affectivité divine » peut susciter des réserves. Le terme « affectivité » est lié, chez l'homme, à des manifestations de la sensibilité corporelle, qui ne peuvent évidemment se vérifier en Dieu. Les émotions et affections sont éprouvées dans la psychologie humaine avec leur retentissement physiologique.

Il importe donc de clarifier les concepts. En parlant d'affectivité divine, nous ne voulons retenir que l'analogie avec l'affectivité humaine de niveau spiri-

uel. On ne pourrait en effet identifier l'affectivité
aux phénomènes sensibles et physiologiques qui l'expriment ou l'accompagnent. Chez l'homme, il y a une
affectivité qui appartient proprement à l'âme : il y a
une capacité d'éprouver les émotions d'ordre spirituel,
les inclinations de l'amour, les sentiments spirituels
de joie, de tristesse, de compassion. On doit admettre
une faculté analogue en Dieu : sinon on ne pourrait
dire, par exemple, que Dieu se réjouit.

Il y a eu néanmoins une tendance à atténuer, à
méconnaître ou à nier l'affectivité de Dieu. Significative à cet égard est l'interprétation que donne saint
Thomas d'Aquin de la miséricorde divine : « La miséricorde doit être attribuée à Dieu au suprême degré,
mais selon son effet, non pas selon le sentiment de
la passion. » Saint Thomas reconnaît cependant que
ce sentiment est impliqué dans la notion de miséricorde : « On dit quelqu'un miséricordieux comme
ayant un cœur malheureux, c'est-à-dire parce qu'il est
affecté de tristesse par la misère d'autrui comme si
c'était sa propre misère. Et il en résulte qu'il s'emploie à supprimer la misère d'autrui, comme sa misère
propre : tel est l'effet de la miséricorde ». Mais seul
le second aspect existe en Dieu : « Etre attristé de la
misère d'autrui ne convient donc pas à Dieu, mais
repousser la misère d'autrui, cela lui convient au
suprême degré. » [2]

2. *S. Th.*, I, q. 21, a. 3 : « Misericordia est Deo maxime attri-
buenda : tamen secundum effectum, non secundum passionis
affectum. Ad cujus evidentiam considerandum est quod mise-
ricors dicitur aliquis quasi habens miserum cor : quia scilicet
afficitur ex miseria alterius per tristitiam, ac si esset ejus
propria miseria. Et ex hoc sequitur quod operetur ad depel-
lendam miseriam alterius, sicut miseriam propriam : et hic

Maritain critique cette position, qui « laisse l'es
prit insatisfait », lorsqu'on la confronte avec les affir
mations évangéliques, qui présentent le Père comme
miséricordieux, et la miséricorde de Jésus comme
image de celle du Père. Il ajoute : « Si une perfection
comme l'amour, dont la miséricorde est si proche, es
attribuée en propre à Dieu, ce n'est pas seulemen
en raison de l'effet produit... L'amour, non pas seu
lement selon ce qu'il *fait*, mais selon ce qu'il *est*, es
une perfection de Dieu, et est Dieu même. N'en va-t-i
pas de même de la miséricorde ? Dieu est Pitié comme
il est Amour et parce qu'il est Amour. » [3]

On doit souligner l'écart qui existe entre les vues
énoncées par saint Thomas et la révélation biblique
Cette révélation est formelle : elle n'attribue pas seu
lement à Dieu une action secourable ou libératrice
mais un véritable sentiment de pitié, de compassion
Lorsque Yahwé se définit devant Moïse, il dit
« Yahwé, Dieu de tendresse et de pitié, lent à la colère
riche en miséricorde et en fidélité, gardant sa misé
ricorde à la millième génération, supportant faute
transgression et péché... » (Ex 34, 6-7).

Le terme hébreu (*rahamim*) qui signifie tendresse
désigne un attachement qui prend quelqu'un aux en
trailles. Il évoque plus particulièrement la tendresse
maternelle, et il signifie une affection puissante, qu
vient du fond de l'être, avec une grande faculté d'émo
tion. Vouloir réduire cette tendresse à une simple

---

est misericordiae effectus. Tristari ergo de miseria alterius non
competit Deo : sed repellere miseriam alterius, hoc maxime e
competit, ut per miseriam quemcumque defectum intelliga
mus. »

3. *Quelques réflexions*, 17.

action qui consiste à supprimer la misère, c'est lui
enlever l'essentiel de sa signification.

D'ailleurs, même lorsque l'action divine châtie,
cette tendresse demeure ou s'émeut davantage : « mon
cœur en moi se retourne, toutes mes entrailles fré-
missent » (Os 11, 8). Les menaces prononcées par
Dieu réveillent les sentiments miséricordieux :
« Ephraïm est-il donc pour moi un fils si cher, un
enfant tellement préféré, pour qu'après chacune de
mes menaces, je doive toujours penser à lui, et que
mes entrailles s'émeuvent pour lui, que pour lui déborde ma tendresse ? » (Jr 31, 20). L'image de l'amour
maternel est plus expressément encore utilisée dans
la réponse de Yahwé au peuple affligé : « Car Sion
disait : Yahwé m'a abandonnée, le Seigneur m'a ou-
bliée. Une femme oublie-t-elle l'enfant qu'elle nourrit,
cesse-t-elle de chérir le fils de ses entrailles ? Même
s'il s'en trouvait une pour l'oublier, moi, je ne t'ou-
blierai jamais ! » (Is 49, 14-15 ; cf. 54, 7).

De telles descriptions mettent en lumière non un
aspect secondaire du comportement divin, mais une
disposition essentielle, tout à fait caractéristique du
Dieu des Juifs. C'est la disposition de l'amour miséricordieux, où apparaît toute la force de l'affectivité
divine.

Certains éludent la force de ces descriptions en
parlant d'anthropomorphismes. Ces anthropomorphismes leur semblent de simples métaphores, qui ne nous
éclaireraient pas vraiment sur la réalité profonde de
Dieu.

En fait, tout langage humain sur Dieu est anthro-
pomorphique, car nous devons nécessairement prendre appui sur l'expérience humaine pour parler de

l'invisible. Lorsqu'on dit que Dieu existe, on se réfère
à l'expérience humaine de l'existence ; lorsqu'on dit
que Dieu est amour, on se réfère à l'expérience humaine de l'amour. Mais il y a là plus qu'une métaphore ; il y a vraie analogie, en ce sens que l'essentiel
de la réalité exprimée s'applique vraiment à Dieu.

Pour ce qui regarde la tendresse et la miséricorde,
il ne s'agit pas évidemment d'attribuer à Dieu des
entrailles maternelles. Mais ce que l'image exprime,
l'amour profond, plein de tendresse et prompt à la
compassion, amour qui plonge en quelque sorte dans
les racines de l'être, doit être attribué à Dieu. Dieu
aime d'une façon qui ressemble à l'amour d'une mère
pour son enfant.

On comprend ainsi que l'affectivité divine puisse
être touchée profondément par les relations avec les
hommes.

3 — LA PERSISTANCE DE L'IMPASSIBILITE DIVINE

Trop facilement on a pensé que le principe de
l'impassibilité divine serait aboli par n'importe quelle
souffrance. Or le Dieu qui souffre reste le Dieu impassible. Il n'y a pas de contradiction entre ces deux
aspects de Dieu, parce que l'impassibilité est une propriété de la nature divine, tandis que la souffrance
ne concerne que l'amour libre des personnes divines
envers les hommes.

L'impassibilité a été considérée, dans la théologie
chrétienne, comme un attribut caractéristique de Dieu.
Les Pères, notamment, ont opposé la nature humaine,

passible, à la nature divine, impassible. L'impassibilité est impliquée dans l'immutabilité, expressément affirmée dans des professions de foi conciliaires [4]. Il ne pourrait être question de contester ni de renier ces affirmations nécessaires à la doctrine de la transcendance et de la perfection divines.

Bien plus, la persistance de l'impassibilité est nécessaire pour éclairer la souffrance divine. La grandeur mystérieuse de cette souffrance vient de ce qu'elle est souffrance de Dieu ; si elle n'était pas souffrance d'un Dieu impassible, elle perdrait sa valeur propre. L'étonnant est que dans son plan rédempteur Dieu se soit engagé dans la voie de la souffrance alors que lui-même possédait un royaume intérieur inaltérable ; celui qui aurait pu se cantonner dans sa propre impassibilité a voulu expérimenter la douleur. L'impassibilité manifeste donc toute la distance que Dieu a voulu franchir en se rapprochant des hommes et en nouant avec eux des relations d'amour.

En vertu de l'amour impliqué dans son être même, Dieu jouit d'un bonheur complet. Car l'impassibilité n'est que l'aspect négatif de la plénitude de joie qui existe en Dieu. La communauté des personnes divines possède un bonheur auquel il ne manque rien et que rien ne peut contrarier ni diminuer. Or la possession inaltérable de ce bonheur n'a pas empêché les personnes divines de s'exposer à la souffrance. La démarche atteste la force de l'amour divin pour l'humanité.

---

4. Concile de Latran IV (DS 800) ; Concile de Vatican I (DS 3001). Déjà le Concile de Nicée avait affirmé cette immutabilité à propos du Christ (DS 126).

Ici apparaît une autre face du mystère : le bonheur parfait doit être reconnu en Dieu en même temps que la souffrance, sans enlever à celle-ci sa réalité et sa profondeur [5]. Dieu est infiniment heureux ; lorsqu'il est offensé, il reste tel ; dans le drame rédempteur ce bonheur infini a persisté. Il a persisté chez le Père qui livrait son Fils à la mort et compatissait à ses souffrances ; il a persisté chez le Fils de Dieu immolé sur la croix et affecté de l'abandon du Père ; il a persisté en l'Esprit Saint dans sa participation à l'épreuve.

Le fait que nous ne pouvons nous représenter d'une façon satisfaisante la conciliation, chez une même personne, d'un bonheur infini et d'une véritable souffrance, confirme simplement l'immense distance qui sépare notre être de celui de Dieu [6]. Il s'agit d'une

5. J. Maritain n'a pas hésité à écrire : « Pour pousser la logique jusqu'au bout (et atteindre à une idée, foncièrement déconcertante, mais plus vraie que celle dont on se contente généralement, de la transcendance divine), il faudrait dire que cette mystérieuse perfection qui est en Dieu l'exemplaire innominé de la souffrance en nous, *fait partie intégrante de la béatitude divine...* » (*Quelques réflexions*, RT 1969, 21). Nous parlerions plutôt d'harmonie que d'intégration, en faisant la distinction entre le bonheur nécessaire de Dieu et la souffrance librement acceptée par son amour.

6. Au sujet de la conjonction de la souffrance et de la béatitude, Jacques Maritain (*Quelques réflexions*, RT 1969, 18, n. 17) cite un texte de Raïssa (*Les Grandes Amitiés*, Paris 1948, 201) : « Cette question de la souffrance dans la Béatitude, et de la souffrance en Dieu lui-même, avait déjà été posée par Bloy dans *Le Salut par les Juifs*. La théologie ni Aristote n'admettent cette conjonction de la souffrance et de la Béatitude. Celle-ci est une plénitude absolue, et la souffrance est la plainte de ce qui est blessé. Mais notre Dieu est un Dieu crucifié ; la béatitude dont il ne peut être privé ne l'a empêché ni de craindre ni de gémir, ni de suer le sang de l'Agonie indicible, ni de se plaindre sur la Croix, ni de se sentir

vérité supérieure à toute expérience humaine[7]. Elle contribue à indiquer que le Dieu qui a souffert était vraiment Dieu, et que chez lui la souffrance signifiait une sorte de déchirement, d'écartèlement intime bien plus radical qu'elle ne peut l'être dans les dispositions d'une psychologie humaine. En Dieu, la souffrance marquait inévitablement le passage d'un bonheur infini, auquel il ne peut y avoir ni lésion ni renoncement volontaire, à une douleur qui, en laissant subsister ce bonheur, souligne de façon d'autant plus aiguë sa valeur propre de douleur, l'incroyable nouveauté de la souffrance chez celui qui est pleinement heureux.

Le mystère est irréductible. Nous ne pouvons chercher à l'atténuer ni à le faire disparaître en supprimant un des deux termes à concilier, soit l'impassibilité, soit la souffrance. Dans la tradition théologique, c'est le second terme, la souffrance, qu'on a eu tendance à effacer, en ne gardant que l'impassibilité. Actuellement, certains seraient tentés de négliger l'inaltérabilité pour mieux affirmer la souffrance[8].

abandonné ! Tous les viols imaginables de ce qu'on est convenu d'appeler la Raison peuvent être acceptés d'un Dieu qui souffre, dit Léon Bloy dans le *Salut*. »

7. A nous en tenir à cette expérience, nous serions portés à juger contradictoire la présence en la même personne d'un bonheur parfait et d'une souffrance, de l'absolue inaltérabilité et de l'accessibilité à la douleur. Mais précisément notre base de référence est trop étroite, car sur ce point il y a une différence essentielle entre la souffrance divine et la souffrance humaine. Notre expérience doit se reconnaître incapable d'apprécier ce que peut être la souffrance dans un Etre entièrement heureux qui ne peut être diminué ni privé de son bonheur essentiel.

8. Cfr. p. ex., selon une perspective hégélienne, J. KAMP, *Souffrance de Dieu, vie du monde*, Tournai 1971, 49.

Les deux aspects doivent être préservés, car tous deux ont une importance capitale dans la figure de Dieu telle qu'elle s'est révélée à nous.

4 — LA LIBERTÉ SOUVERAINE DE L'AMOUR SAUVEUR

La distinction de l'être nécessaire et du libre amour souligne qu'en Dieu la souffrance n'appartient pas au domaine de la nécessité et de l'essence, mais à celui des libres engagements. Cette liberté des engagements divins doit être reconnue pleinement.

Une certaine notion de l'immutabilité divine, poussée à la logique la plus extrême, était de nature à voiler cette liberté. Elle tendait à présenter un Dieu enfermé en lui-même, paralysé en quelque sorte par sa propre perfection, appauvri par sa simplicité : un Dieu incapable de sortir de son être, de se tourner réellement vers l'humanité et de nouer des contacts avec les hommes en acceptant les joies et les peines qui en résulteraient pour lui.

En vertu de cette conception rigide de la transcendance divine, toute relation de Dieu à l'humanité ne pouvait être réelle : Dieu était tellement supérieur au monde qu'il ne pouvait se rapprocher de lui. Un abaissement volontaire de sa part pour entrer en dialogue avec ses créatures serait inexplicable.

Or, en réalité, pareille conception de la supériorité de Dieu, en vertu de son excès, aboutissait à l'attribution d'une infériorité : c'est une vraie infériorité que de ne pas pouvoir s'ouvrir à d'autres, de ne pas pouvoir instaurer avec eux des relations réelles.

C'est aussi une infériorité que de ne pas jouir d'une liberté qui assume les risques de l'amour, risques parmi lesquels se trouve celui de la souffrance[9].

L'insistance du message biblique sur la gratuité du salut nous indique l'importance de la liberté souveraine de l'amour sauveur. C'est en fait dans cette liberté que se manifeste l'authentique transcendance divine. Dieu est absolument libre de s'engager à fond comme il le désire et le veut, et de témoigner à l'humanité l'amour le plus extrême en assumant d'avance toutes ses conséquences. Comment pourrait-on penser que le privilège de cet engagement total dans l'amour serait réservé aux hommes, aux créatures, et qu'il serait indigne de Dieu ? Si le Père invite l'humanité à l'amour le plus complet, il ne le fait que parce que lui-même, le premier, s'est lancé dans cette voie. Or, pour lui, l'engagement le plus extrême dans l'amour ne pouvait pas être dissocié de l'éventualité de la souffrance. En raison de la liberté laissée à l'homme, qui comportait le risque du péché, Dieu s'exposait, s'il voulait entretenir avec l'humanité les relations les plus intimes, à des offenses qui le feraient souffrir en proportion même de son amour. Dans le plan de salut qu'il élaborait en réaction au péché qu'il prévoyait, il s'engageait encore plus résolument dans la voie de la douleur, par l'invention admirable du sacrifice rédempteur dont lui, Dieu, devait porter le poids et la peine.

En vertu de quel principe Dieu n'aurait-il pas pu

9. « Si Dieu était, à tous points de vue et en un sens absolu, incapable de souffrir, il serait aussi incapable d'amour », écrit Moltmann (*Dei gekreuzigte Gott*, 217).

prendre un tel engagement ? Il est souverain, et la souveraineté consiste à agir de la façon la plus libre, non à être emprisonné dans une hauteur inaccessible. Il a exercé à fond sa liberté en s'aventurant dans un amour sauveur qui le ferait souffrir. A ce point de vue, la théologie de Dieu n'est-elle pas infiniment plus large que toute théologie humaine ?

Finalement, la souffrance témoigne, plus encore que l'impassibilité, de la souveraineté divine ; c'est d'ailleurs, nous l'avons souligné, un souffrance liée à l'impassibilité. Que l'impassible souffre, cela montre à quel point il est maître de lui-même, de son propre comportement, et à quel point il transcende nos humbles notions de transcendance.

5 — L'AMOUR ET LA SOUFFRANCE

L'amour impliqué dans l'être divin ne peut connaître de souffrance. L'amour du Père et du Fils, dans l'unité de l'Esprit Saint, n'est qu'harmonie et bonheur.

Par contre, l'amour de Dieu pour l'humanité comporte nécessairement le risque de souffrance. En effet, cet amour, en se portant vers des êtres libres de s'opposer à lui, ne peut prétendre, s'il veut être absolument sincère et logique avec lui-même, exclure toute possibilité de conflit et de douleur. Il serait impossible de concevoir un amour divin qui aurait respecté la liberté humaine et ne se serait pas exposé à souffrir du péché. Bien plus, en réaction au fait même du péché, l'amour divin a voulu expressément s'engager dans la voie de la souffrance la plus profonde, puisque le Père n'a pas hésité à envoyer son Fils à la mort. Pour atteindre toute sa mesure, cet amour a choisi la voie de la croix.

Dès lors, si la souffrance a fait l'objet d'un choix divin en vue d'un maximum d'amour, elle ne peut être regardée comme une imperfection dans l'ordre moral. On l'appelle souvent un mal, et cette manière de parler donne prise à bien des ambiguïtés. Si elle était un mal, une réalité qui est mauvaise pour celui qui souffre, elle ne pourrait pas avoir été choisie par Dieu comme voie de l'amour. Car entre Dieu et le mal il y a incompatibilité absolue, et jamais une réalité mauvaise ne pourrait être voulue par la sainteté divine, encore moins accueillie et assumée dans la vie propre de Dieu.

Mais la souffrance n'est pas un mal, du moins un mal moral. On pourrait appeler « mal » toute déficience de la nature, mais ce serait excessif ; nous savons que les déficiences inhérentes à la nature humaine de Jésus n'offraient aucune incompatibilité avec sa personne divine. Au sens strict, le véritable mal se situe dans l'ordre moral ; c'est le péché. La souffrance n'est nullement un mal de ce genre : elle n'est ni un péché ni une expression du péché.

De soi, la souffrance n'a rien qui contrarie l'amour. Elle n'est pas de nature à diminuer la perfection morale, et à ce point de vue elle ne répugne nullement à l'absolue perfection divine.

Bien plus, si elle a été choisie comme voie de l'amour le plus complet, c'est que, loin de nuire à l'intensité de l'amour, elle est appelée à la favoriser. Si négative qu'elle puisse paraître, elle a un rôle positif. Elle permet à l'amour de se déployer pleinement.

Revenons un instant à l'affirmation fondamentale de Jésus : « Il n'y a pas de plus grand amour que de donner sa vie pour ses amis » (Jn 15, 13). Elle ne concerne que les relations humaines. « Donner sa vie » ne désigne que l'offrande humaine de soi. Cependant, celui qui fait l'offrande douloureuse de sa vie est le Fils de Dieu, de telle sorte que même s'il s'agit d'une offrande accomplie dans la nature humaine, c'est la personne divine qui en est responsable, et c'est elle qui porte la souffrance de ce don total. En outre, comme Jésus est l'image du Père, le sommet de son amour humain représente le sommet de l'amour divin envers l'humanité. Ce sommet, c'est l'amour du Père qui sacrifie son Fils. La souffrance apporte ainsi sa contribution à la plénitude de l'amour.

Dans l'expérience de la vie des hommes, la douleur fournit l'occasion d'une plus grande générosité ; elle requiert un don de soi plus profond, en même temps qu'une énergie morale qui franchit l'obstacle. De cette expérience, le premier modèle se trouve en Dieu, où l'acte rédempteur a uni amour et souffrance.

On pourrait se demander si dans la réalité intime de Dieu considéré en lui-même, ce lien entre amour et souffrance n'a pas un fondement. Préalablement à l'acte rédempteur, dans le mystère du Dieu trinitaire, pourrait-on trouver une première origine de l'amour douloureux ? Un amour souffrant serait en fait incompatible avec le principe de l'impassibilité, qui, nous l'avons noté, ne peut être contesté, et qui caractérise la nature divine. Même avec les corrections de l'analogie, on ne peut attribuer à Dieu, envisagé en dehors de ses relations avec les créatures, un amour douloureux[10]. Cependant, en excluant la souffrance pour le Dieu en soi, on pourrait discerner en lui un principe qui entraînera comme conséquence, dans les relations avec l'humanité, l'amour souffrant. Dans le Dieu trinitaire, il y a un amour extatique, amour pour lequel le Père et le Fils s'unissent en la personne de l'Esprit Saint. Pour le Père et le Fils cet amour est sortie de soi-même au point de former une nouvelle personne. C'est le don le plus complet qui puisse exister, où la personne qui aime renonce à posséder son propre amour, tellement elle veut se perdre en l'autre. Extase de l'amour, le Saint Esprit est l'expression de cette « perte de soi » mutuelle en la personne aimée. L'extase n'a rien de douloureux ; elle n'est que puissance d'amour. Mais le renoncement intime qu'elle comporte et qui appartient à la ferveur du don peut être regardé comme la première origine des renon-

---

10. Indéfendable dans sa formulation radicale est la position adoptée par K. Kitamori qui envisage la douleur comme essence de Dieu (*Theology of the Pain of God*, Richmond 1965, 44-49). Elle a notamment été critiquée par J. G. Valles (*La teología del dolor de Dios, Studium* 9 (1969) 429) ; cependant, lorsque, dans sa critique, Valles invoque le fait que les passages de l'Ecriture qui font allusion à la douleur de Dieu se rapportent tous aux souffrances subies par le Verbe incarné en raison de sa nature humaine, il néglige en réalité les attestations scripturaires au sujet de l'offense de Dieu. De l'Ecriture on ne pourrait conclure que la douleur demeure en dehors de Dieu ; elle ne lèse pas l'essence divine mais elle affecte l'amour divin. Pour ce qui regarde Kitamori, une certaine imprécision des concepts, notamment de celui d'essence, pourrait atténuer la portée de l'identification de la douleur avec l'essence de Dieu ; néanmoins, cet auteur déclare que selon la Bible la douleur de Dieu appartient à son *être éternel*, et il veut le prouver par des textes de l'Apocalypse (p. 45), ce qui est excessif.

cements qu'implique l'amour porté à l'humanité et qui comporteront un aspect douloureux.

Quoi qu'il en soit d'ailleurs de cette première origine dans le mystère trinitaire, c'est dans l'amour que Dieu voue aux hommes qu'est établi le lien entre amour et souffrance : l'expérience de la contribution de la souffrance à l'amour est expérience divine avant d'être expérience humaine. L'expérience divine fournit la garantie de la valeur de l'expérience humaine, et elle éclaire tout le problème de la souffrance de l'humanité en y montrant la voie de l'amour plénier.

Une question ne peut manquer néanmoins de resurgir : pourquoi ce lien entre amour et souffrance ? N'aurait-il pas été possible d'instituer un ordre de choses, une « économie » où l'amour aurait pu atteindre son sommet sans devoir passer par la souffrance ? Le vieux rêve d'un amour qui se développe harmonieusement dans le bonheur le plus pur renaît sans cesse dans l'imagination humaine. Ce rêve est réalité dans l'être intime de Dieu, où l'amour parfait est parfaitement heureux : pourquoi dans l'univers humain un amour idéal de ce genre n'est-il pas possible et pourquoi dans ses relations avec les hommes Dieu a-t-il choisi une autre voie d'amour que celle d'un amour totalement heureux ?

Nous connaissons déjà l'essentiel de la réponse à la question : tout résulte du drame du péché, drame impossible à éviter dans un monde où une authentique liberté est laissée à l'homme. Mais il importe de scruter plus attentivement le rôle du péché dans l'avènement de l'amour souffrant.

B. Rédemption et souffrance

1 — L'INTÉGRATION DE LA SOUFFRANCE DANS LE PLAN REDEMPTEUR

On pourrait se demander, surtout à propos du péché, si la souffrance subie par les personnes divines n'est pas inutile et inefficace. A quoi bon, pourrait-on dire, cette tristesse qu'elles ressentent ? N'auraient-elles pas pu s'épargner cette peine, qui n'a été que discrètement révélée et qui demeure un mystère ?

La question évoque celle que l'on entend souvent poser au sujet de la souffrance humaine. A quoi bon tant de souffrances dans le monde ? Dans le cas de la souffrance divine, la question est encore plus pertinente. Car par la souffrance bien acceptée et bien supportée un homme peut accroître sa perfection morale, tandis que les personnes divines ne peuvent progresser en perfection. La souffrance peut rendre l'homme meilleur, mais elle n'a pas ce même effet en Dieu.

Pour répondre à cette question, il faut souligner le lien qui existe entre la souffrance qui résulte de l'offense et le dessein d'amour sauveur. Si Dieu souffre du péché, c'est qu'il veut souffrir également avec les hommes pour les en délivrer. Il n'a accepté de s'exposer aux offenses et d'être atteint par elles que parce qu'il a intégré cet aspect de ses relations avec les hommes dans la totalité d'un plan de salut, où, à travers la souffrance, son amour est destiné à transformer la condition de l'humanité pécheresse. Le

12

« souffrir de » a été assumé en vue du « souffrir avec », et celui-ci tend, dans l'œuvre rédemptrice, à libérer les hommes de leur péché.

Toutefois, la question rebondit. Pourquoi cette libération de l'homme a-t-elle dû avoir lieu par la souffrance ? N'aurait-il pas été possible à Dieu d'instituer un plan de salut d'où la souffrance aurait été absente, ou tout au moins dans lequel la souffrance n'aurait pas eu le rôle essentiel qui lui a été attribué ?

Nous pouvons difficilement juger de la possibilité d'autres plans de salut, mais si nous cherchons les motifs pour lesquels la souffrance occupe une place capitale dans le plan réellement adopté par Dieu, nous trouvons les exigences mêmes de l'amour divin. Dans son amour, Dieu respecte la liberté humaine, et les conséquences qui dérivent des choix libres des hommes. La voie de la souffrance est celle qui est choisie par le pécheur, en ce sens que le péché comporte nécessairement des conséquences de souffrance, en tendant à détruire la destinée humaine, en rompant l'accord avec Dieu en dehors duquel aucun bonheur profond n'est possible. Pour supprimer cette voie de la souffrance, il faudrait considérer comme nulle et sans effet la volonté libre qui s'exerce dans le péché. Dieu ne veut pas ce qui serait une annulation de la liberté humaine, non seulement parce qu'il maintient l'homme tel qu'il l'a créé, mais aussi parce que le respect de la liberté d'autrui est un trait essentiel de l'amour : aimer l'autre, c'est respecter sa personnalité, même lorsque celle-ci se développe d'une manière incommode ou hostile.

La souffrance rédemptrice existe donc en raison de la volonté peccamineuse de l'homme, dont Dieu a accepté la décision. Mais si d'une certaine manière elle a été imposée à Dieu, c'est que préalablement l'amour divin était décidé à l'accueillir et à l'intégrer dans le plan de salut.

Dans cet amour rédempteur, elle prend toute sa valeur. Elle n'est ni inutile, ni efficace, car elle tire de l'amour dont elle est l'expression son utilité et son efficacité.

Par là s'esquisse déjà la réponse à l'objection si souvent formulée contre la souffrance humaine. Si en Dieu la souffrance fait partie d'un dessein de rédemption qui opère la transformation de l'humanité, la souffrance humaine, appelée à s'y unir, est destinée elle aussi à la fécondité la plus haute. Les douleurs, même celles qui sont apparemment vaines et superflues, sont toutes associées, selon l'intention divine, à la douleur de l'œuvre rédemptrice, et ont pour finalité la participation aux fruits de cette œuvre. Cette participation est mesurée non par la douleur elle-même et son intensité, mais par l'amour qui l'anime à l'exemple de l'amour du Dieu sauveur.

2 — DEFICIENCE DE LA DOCTRINE SOUFFRANCE-CHATIMENT

Ce qui a été dit de la souffrance de Dieu est de nature à mieux montrer la déficience foncière de toute doctrine qui regarderait la souffrance comme une punition. Selon cette doctrine, la douleur serait le châtiment infligé par Dieu aux hommes en raison de leur péché. La Bible elle-même semble livrer un tel enseignement ; c'est ainsi par exemple qu'à la suite de la faute d'Adam et Eve elle rapporte la sanction divine, qui comporte pour l'homme la douleur du travail et pour la femme la douleur de l'enfantement. En de nombreux passages de l'Ancien Testament, les châtiments divins pour le péché sont mentionnés de façon systématique, en vertu de la conviction que Dieu punit par des souffrances appropriées les fautes humaines [11].

Cette doctrine soulève néanmoins beaucoup de difficultés. Aux théologiens modernes qui distinguent les conditions nécessaires de la nature et le régime des relations surnaturelles de l'homme avec Dieu, il paraît malaisé d'affirmer que toutes les souffrances résultent comme telles d'une punition infligée par Dieu, dans l'ordre surnaturel de ses rapports avec les hommes, pour les péchés commis. Bien des souffrances, notamment celles du travail ou de l'enfantement, paraissent inhérentes à la nature humaine. De plus, on se résigne difficilement à y voir un châtiment, car si nous prenons l'exemple du travail, la douleur qui s'y trouve impliquée semble contribuer à sa valeur et à sa noblesse, plutôt que l'affecter d'un coefficient d'indignité. D'une manière générale, on doit reconnaître que la souffrance, inévitable dans le développement biologique et psychologique de l'homme, et voulue à ce titre par le Créateur lui-même, joue un rôle positif de stimulant dans l'effort vital, de préservation contre les dangers, d'invitation à la générosité dans le don de soi. Elle est la rançon de l'autonomie et de la créativité de l'être : l'homme est

11. Cf. G. FOURURE, *Les châtiments divins*, Tournai 1959, 183-224.

destiné à se conquérir au prix de luttes douloureuses ;
cet aspect de sa destinée n'est nullement un mal et
ne pourrait être attribué à une punition. Dans l'échelle
des êtres vivants, une plus grande perfection se traduit par l'existence de la douleur, comme l'indique la
supériorité des animaux sur les végétaux. Plus un
être est appelé à se posséder, plus il doit dompter
dans la douleur les résistances internes et externes.
C'est ainsi que plus il y a conscience pour un être
créé, plus il y a souffrance intime.

On imaginerait d'ailleurs assez mal ce qu'aurait
pu être pour l'homme une vie sans souffrance : à
moins de posséder une nature toute différente,
comment l'homme aurait-il pu, dépourvu de la capacité de souffrir, éviter ce qui le blesse ou le détruit ?
Qu'aurait signifié un travail d'où toute peine aurait
été exclue, et dont l'accomplissement aurait été aussi
facile et commode que l'oisiveté ?

Il semble que l'absence de souffrance aurait enlevé à la vie de l'homme une part notable de sa valeur.
Si nous étudions ce qui dans une conduite humaine
suscite l'admiration et l'estime, nous trouverons non
pas une existence sans difficultés, mais des œuvres
réalisées au prix de beaucoup de peines et d'efforts,
ou des attitudes qui impliquent une victoire sur soi-
même, obtenue par des luttes qui ne peuvent être
que douloureuses.

Aux Juifs qui ne considéraient pas expressément
le concept de nature humaine comme telle et qui
recevaient la doctrine de la souffrance punition du
péché, une autre objection ne pouvait manquer d'apparaître : comment expliquer la souffrance de l'inno-

cent ? [12] Tout le livre de Job a été écrit pour apporter quelque lumière sur l'énigme : le cas d'un homme sans reproche sur lequel s'abattent toutes les catastrophes pose à l'extrême le problème, et démontre qu'on ne peut identifier simplement l'épreuve à un châtiment. De façon plus générale, on doit constater que la souffrance ne survient pas dans l'existence humaine en proportion des péchés commis, et que si elle était une punition, elle serait donc distribuée avec l'injustice la plus manifeste.

La faille de la doctrine souffrance-châtiment apparaît nettement dans la description du serviteur souffrant. « Nous autres, nous l'estimions châtié, frappé par Dieu et humilié. Mais lui a été transpercé à cause de nos péchés, écrasé à cause de nos crimes » (Is 53, 4-5). La distance est marquée entre l'estimation commune, qui pense le serviteur puni pour ses fautes, et la réalité, celle d'un innocent qui souffre pour obtenir le salut des coupables [13].

On note donc une évolution de l'enseignement biblique en ce domaine. La doctrine du châtiment ne pouvait éclairer qu'un aspect du problème de la souffrance ; on peut en retenir simplement la vérité que par le péché l'homme mérite une sanction qui a un caractère **pénible**.

La vraie signification de la souffrance ne se révèle

12. Le problème avait déjà été abordé dans la religion babylonienne, sans pouvoir trouver de solution : cf. O. GARCIA de la FUENTE, *El problema del dolor en la religion babilónica*, *La Ciudad de Dios* 174 (1961) 43-90.

13. Cette interprétation de la souffrance avait été préparée par l'expérience de la souffrance des prophètes, souffrance destinée à profiter au peuple ; cf. J. SALGUERO, *Finalidad del dolor según el A.T.*, *La Ciencia Tomista* 90 (1963) 380-395.

pleinement qu'avec la venue du Christ [14]. A plusieurs reprises, Jésus a protesté contre la pensée de ses contemporains qui discernaient encore dans la souffrance un châtiment du péché : les Galiléens massacrés par Pilate n'étaient pas plus coupables que les autres (Lc 13, 2-3) [15], et l'infirmité de l'aveugle-né, loin d'être redevable à un péché, avait pour but une manifestation des œuvres de Dieu (Jn 9, 3) [16]. Le démenti le plus décisif à la doctrine de la souffrance-châtiment résulte de la Passion elle-même : tout conscient qu'il est de n'avoir commis aucun péché (Jn 8, 46), Jésus affirme qu'« il faut » que le Fils de l'homme souffre, meure et ressuscite.

Or, dans le Christ, ce n'est pas seulement l'innocence humaine qui est soumise à la souffrance. Celui qui souffre est Dieu. La souffrance de Dieu est l'attestation la plus éloquente que le sens profond de la souffrance ne peut être celui d'un châtiment.

---

14. « Dieu ne fait entendre dans le poème de Job que le début de sa réponse, se réservant de donner en son Fils le médiateur que Job n'osait pas espérer » (J. LEVEQUE, *Job et son Dieu*, Paris 1970, II, 692).

15. Jésus veut s'opposer à la conviction des Pharisiens, selon laquelle la destinée d'un homme est déterminée par sa culpabilité, et doit payer en malheur la mesure de la faute. Il nie ce principe avec force, en employant la formule qui marque une intention de révélation : « je vous le dis » (cf. GRUNDMANN, *Lukas*, 276).

16. Ces œuvres désignent la révélation de Jésus comme lumière du monde. « Les œuvres ne sont pas directement la guérison et la conversion qui paraîtront dans l'aveugle, mais dans son cas particulier on verra resplendir les œuvres de Dieu, c'est-à-dire cette action surnaturelle où l'on doit reconnaître à la fois le pouvoir de Jésus et de celui qui l'a envoyé » (LAGRANGE, *Evangile selon S. Jean*, Paris 1925, 259). La valeur positive de la souffrance est expressément soulignée.

Il ne s'agit pas, notons-le, de contester le lien entre le péché et la souffrance. Un lien de conséquence doit être admis. Si Dieu souffre, c'est en raison du péché de l'humanité. Mais conséquence ne veut pas dire châtiment. Le lien n'existe qu'en vertu d'un amour libre qui en Dieu a voulu assumer les conséquences du péché. Dieu est en quelque sorte le premier innocent qui prend sur lui les suites douloureuses des fautes humaines. Ce qui aurait dû être punition du péché devient en lui déploiement le plus extrême de l'amour sauveur.

Or c'est en Dieu que la souffrance prend sa valeur définitive. Il y a une primauté divine en ce domaine comme dans les autres. Ce que la souffrance est dans le secret de l'amour divin, elle est destinée à l'être dans la destinée humaine. Ne pouvant être punition en Dieu, elle ne peut non plus l'être dans l'homme ; en ce dernier, elle est appelée à constituer la forme la plus profonde de l'amour rédempteur.

3 — LE RENVERSEMENT DE CERTAINES PERSPECTIVES

La considération de la souffrance de Dieu entraîne le renversement de certaines perspectives. Le problème général de la souffrance apparaît dans une autre lumière.

Ainsi, au lieu d'envisager la souffrance comme infligée par Dieu à l'homme, à la suite du péché, on est amené à reconnaître que la première réalité de la souffrance se trouve en Dieu : elle a été infligée à Dieu par le pécheur. L'homme ne possède évidemment pas une puissance comparable à celle de Dieu ; ce n'est donc pas en vertu d'une souveraineté qui lui serait propre qu'il impose à Dieu la douleur de l'offense. C'est plutôt en raison de l'amour souverain de Dieu pour lui qu'il peut lui infliger cette douleur. Mais il reste que l'homme en porte vraiment la responsabilité : « au commencement » de l'œuvre du salut, ce n'est pas Dieu qui impose la douleur à l'homme pécheur, mais celui-ci qui impose la douleur à Dieu.

Le second paradoxe est qu'au lieu d'être l'héritage du coupable, la souffrance est le destin qui incombe de façon plus spéciale à l'innocent. C'est celui qui possède la sainteté de l'amour qui est frappé par la souffrance et qui assume cette souffrance pour la libération du coupable. Le paradoxe est loin d'être compris habituellement. Ceux qui se plaignent de la souffrance en pensant ne pas l'avoir méritée la regardent en fait comme un châtiment qui leur est injustement appliqué ; le principe de l'innocence de Dieu, première victime de la souffrance, devrait les aider à saisir que la douleur et l'épreuve ne sont pas, dans le plan divin, le lot des coupables, et que c'est plutôt l'innocence et la sainteté personnelle qui sont appelées, par la souffrance, à contribuer à l'œuvre rédemptrice.

Un troisième renversement de perspective concerne l'appellation de « mal » si souvent donnée à la souffrance. Nous avons noté que la souffrance ne peut être regardée comme un mal moral : la souffrance de Dieu en est la preuve la plus manifeste. Bien plus, du point de vue moral, au lieu d'être un mal, la souffrance apparaît comme un bien en tant qu'elle est

expression de l'amour. Lorsqu'on dit que le péché
est le mal de Dieu parce qu'il est une offense qui
le blesse [17], on veut parler simplement d'une souffrance
qui n'est pour Dieu que souffrance. Le terme « mal »
sous lequel philosophiquement on range la souffrance
humaine favorise une certaine confusion avec le péché, parce que le péché est appelé lui aussi un mal.
A proprement parler, seul le péché est le véritable
mal, celui qui compromet et tend à détruire la destinée humaine. La souffrance au contraire peut constituer un sommet dans le développement de cette
destinée. En stimulant l'amour, elle est, malgré les
apparences, un bien et non un mal.

Enfin, un quatrième aspect du renversement de
perspective mérite d'être signalé. Loin de s'opposer
au bonheur, ou de l'exclure, la souffrance s'accorde
profondément avec lui. En Dieu la souffrance n'enlève rien au bonheur qui appartient fondamentale-
ment aux personnes divines ; de plus, il semble qu'on
puisse dire que la souffrance assumée dans l'œuvre
rédemptrice ne diminue nullement la joie que Dieu
prend à aimer les hommes. Dans les douleurs du
drame du salut s'exerce un amour qui comporte une
joie réelle. C'est l'amour qui fait coïncider en profondeur souffrance et joie, et qui transforme la douleur en joie plus profonde. Ainsi s'explique que dans
l'expérience humaine la souffrance n'exclut pas le

---

17. C'est par exemple ce que dit Maritain : « Est-ce que, en
définitive, le péché des êtres qu'il a faits n'est pas *le mal
de Dieu* ? Est-ce que le péché qui s'étale tout le long de
l'histoire du monde et chacun des péchés commis par chacun
de nous, ne « font » pas « quelque chose » à Dieu lui-même ? »
(*Quelques réflexions*, 20).

bonheur. C'est ce que le Christ a proclamé dans les béatitudes, où les renoncements douloureux sont présentés comme source d'un bonheur mystérieux, et où la souffrance la plus vive, celle de la persécution sous toutes ses formes, apparaît comme une cause suprême de ce bonheur. La douleur ne perd évidemment pas sa nature de douleur, mais loin de nuire au bonheur profond de la personne humaine, elle tend à l'accroître.

4 — SOUFFRANCE MERITOIRE DU CHRIST ET AMOUR SOUFFRANT DU PERE

La souffrance de Dieu dans l'œuvre de rédemption pose le problème de la distinction entre le rôle du Père et celui du Christ.

Le fait que le Père a pris l'initiative du sacrifice et qu'il a compati à la douleur de son Fils crucifié ne signifie pas qu'il a mérité notre salut. Ce mérite est réservé au Christ, et plus spécifiquement à la souffrance humaine offerte par le Fils de Dieu. Jésus a mérité le salut de l'humanité par une Passion humaine. La souffrance divine n'est pas source de mérite ; seule l'est la souffrance humaine qui, dans le cas de Jésus, est la souffrance d'une personne divine.

A quel titre de ses relations avec le Père Jésus est-il cause méritoire du salut ?

Nous avons souligné la révélation du Père par le Fils dans la Passion : la douleur de Jésus sur la croix nous fait découvrir la douleur secrète du Père, en vertu d'une ressemblance fondamentale. Le crucifié est l'image visible du Dieu invisible. Il est l'expression de l'amour voué par le Père à l'humanité. A ce point de vue, le sacrifice de la croix revêt une dimension descendante, celle de l'amour de Dieu qui vient au secours de l'humanité. Le Père livre son Fils en sacrifice : tel est le geste décisif. Dans la rédemption, le Christ représente l'amour héroïque du Père.

Nous avons noté cependant que même dans la description de ce geste du Père, saint Paul et saint Jean maintiennent l'affirmation d'un sacrifice expiatoire : d'après saint Paul, Dieu a prédisposé le Christ comme « propitiatoire » (Rm 3, 25) ; d'après saint Jean, il a envoyé son Fils unique en propitiation pour nos péchés (1 Jn 4, 10). Or la propitiation ou l'expiation placent Jésus non pas dans la position de celui qui représente le Père, mais plutôt dans l'attitude de celui qui représente l'humanité devant le Père, et qui obtient du Père le salut. Et le Père n'apparaît plus comme celui qui offre gratuitement le salut aux hommes, mais comme celui qui en quelque sorte se fait payer l'octroi du salut par l'offrande expiatoire du Christ.

On est tenté de se demander si cette façon de concevoir la souffrance de la croix comme sacrifice expiatoire n'est pas due à une interprétation juive tirée des sacrifices rituels d'expiation. Ne faudrait-il pas renverser ici encore la perspective, et au lieu de contempler un Christ qui par la souffrance du Calvaire offre au Père une compensation pour les offenses humaines, discerner simplement en lui celui qui par cette souffrance apporte et révèle au monde l'amour libérateur du Père, amour qui n'a pas hésité à assumer la souffrance du don du Fils ? Il n'est pas facile en effet de penser que le Père souffre de livrer son Fils à la mort, et que d'autre part il exige lui-même la souffrance du Christ comme satisfaction pour le péché et comme prix de la libération. Ne faudrait-il pas concevoir la souffrance du Fils comme manifestation de la souffrance du Père, plutôt que comme une douleur expiatrice où Père et Fils jouent un rôle opposé, l'un face à l'autre ? La seule voie dans laquelle justice serait pleinement rendue à l'amour souffrant du Père ne consisterait-elle pas à lui dénier toute revendication d'expiation et à la reconnaître comme pur don du Fils à l'humanité ?

Sur ce problème une indication essentielle est donnée en premier lieu par les paroles de Jésus qui présentent sa mort comme prix du salut de l'humanité. Telles sont les paroles de la promesse (Jn 6, 61) et de l'institution de l'Eucharistie (Mc 14, 24 et par.) ; telle est, plus expressément encore, la déclaration : « Le Fils de l'homme est venu non pour être servi mais pour servir et donner sa vie en rançon pour la multitude » (Mc 10, 45 ; Mt 20, 28). On ne peut donc pas supprimer toute idée de compensation ou d'expiation dans l'interprétation de la Passion ; dans le cas du Christ, l'expiation revêt une portée nouvelle, mais elle demeure. La mort de Jésus n'a pas été seulement un don que le Père fait de son Fils à l'humanité ; elle a été l'offrande adressée au Père, comme le montre le cri final par lequel le crucifié remet son esprit entre les mains du Père (Lc 23, 46).

En fait, l'exigence de réparation pour le péché ne restreint nullement l'amour du Père. Cette exigence résulte de l'amour, car elle vient de la volonté de respecter les options de l'homme et d'en accepter les conséquences. Elle tend à élever la dignité de l'homme, en lui reconnaissant la capacité de réparer la faute commise. Ce qui a été défait par un homme doit être refait par un homme : ce principe n'était certes pas une nécessité qui s'imposait à Dieu dans le plan de salut, mais il est une implication du libre amour porté par le Père à l'humanité. C'est ce qui explique que l'acte rédempteur essentiel n'ait pas été l'acte divin du Père, mais l'offrande humaine du Christ, en laquelle se trouve toute la cause méritoire de la rémission des péchés et du salut.

De plus, dans son exigence de réparation, le Père manifeste un amour plus généreux, puisqu'il pourvoit lui-même à cette exigence, en livrant son Fils à la croix. Sans le sacrifice expiatoire, le Père n'aurait pas eu l'occasion de témoigner à l'humanité le maximum d'amour. Requérir ce sacrifice, cela signifiait dans son dessein en assumer la charge : de l'exigence, il se voulait le premier à porter le poids.

Ici apparaît l'importance primordiale de la souffrance du Père : le Père a voulu faire retomber sur lui-même les conséquences douloureuses du péché, et c'est ainsi que toute souffrance humaine, celle du Christ et celle de tous les hommes, est précédée par sa souffrance à lui. L'homme n'est jamais en droit de penser que dans sa propre douleur il est victime de Dieu, puisque Dieu est le premier à s'être engagé dans la voie douloureuse.

Il n'y a pas de contradiction entre les deux rôles tenus par le Père dans l'œuvre rédemptrice : le rôle par lequel il donne son Fils en sacrifice, et celui par lequel il reçoit l'offrande rédemptrice de son Fils. Le premier rôle est le plus décisif, mais il comporte l'implication du second : le Père livre son Fils à un

sacrifice par lequel ce Fils se remettra entre ses mains.
Le premier rôle se fonde sur la position du Père,
origine de l'œuvre du salut ; le second rôle s'appuie
sur le fait que si le péché est finalement offense au
Père, la réparation doit finalement lui être adressée.
Nous avons noté que l'offense faite au Père comprend
toute l'offense faite à Dieu ; il en va de même de
la réparation au Père, en laquelle se réalise toute la
réparation de l'homme pécheur envers Dieu.

Il n'y a pas non plus de contradiction entre les
deux rôles tenus par le Chrst : l'un qui consiste à
révéler et à témoigner l'amour du Père à l'humanité,
et l'autre qui consiste à faire monter vers le Père
l'hommage de réparation de l'humanité. Car dans son
sacrifice, le Christ est à la fois le don de Dieu à
l'homme et le don de l'homme à Dieu : pas plus qu'il
n'y a en lui de contradiction entre la nature divine
et la nature humaine, il n'y a d'opposition entre le
don descendant de Dieu à l'homme et le don montant
de l'humanité à Dieu. Le premier s'accomplit à travers le second.

Dès lors, même dans l'acte de l'offrande de sa
souffrance au Père, le Christ exprime et révèle la
souffrance du Père lui-même.

5 — SOUFFRANCE ET RESURRECTION

Puisque nous nous efforçons d'éclairer le drame
de la Passion par les dispositions intimes du Père,
nous devons nous demander, à ce point de vue, ce que
signifie le passage de la mort à la vie glorieuse et à
la résurrection.

Les deux aspects du rôle du Père, initiative et participation, que nous avons constatés dans l'ordre de la souffrance, doivent se retrouver dans la consommation glorieuse du sacrifice. L'initiative est souvent affirmée par les écrits du Nouveau Testament : le Père est celui qui opère la résurrection de Jésus [18]. La participation affective à l'événement ne fait pas l'objet d'affirmations scripturaires, parce qu'elle ne concerne pas directement l'œuvre du salut. Une exploration des dispositions secrètes du Père n'entre pas dans les préoccupations des auteurs sacrés. Quant à l'art sacré, qui a représenté la compassion, la Pietà du Père, il a manifesté moins d'intérêt pour la représentation des sentiments du Père dans l'événement de la résurrection.

Pouvons-nous préciser davantage ces sentiments ? La séparation affective du Père et du Fils, exprimée dans la déréliction du Calvaire, a pris fin avant la résurrection, dès le moment de la mort. La compassion du Père s'est terminée avec la Passion de Jésus : la représentation artistique du Père qui reçoit dans ses bras ou sur ses genoux le cadavre de son Fils ne pourrait être comprise trop strictement, comme si après la mort du Christ, le Père avait éprouvé la douleur d'un deuil. Elle ne peut signifier qu'une chose : la souffrance du Père qui accompagne le déroulement de la Passion jusqu'au moment suprême

---

18. Bornons-nous à citer un des textes les plus suggestifs : « ... Celui qui a ressuscité le Christ Jésus d'entre les morts donnera la vie à vos corps mortels par son Esprit qui habite en vous » (Rm 8, 11). Ce texte a l'avantage de montrer dans la résurrection de Jésus un événement de valeur trinitaire.

de la mort. Elle l'exprime à la manière de la situation humaine la plus évocatrice de cette douleur.

En réalité, dès sa mort, le Christ est entré dans la gloire céleste. L'acte humain de mourir avait consisté pour lui à remettre son esprit dans les mains du Père, et par la mort le Père a accueilli le retour de son Fils. A la douleur de la séparation affective a succédé immédiatement la joie de la réunion : joie divine pour le Père, et pour le Fils joie divine qui s'exprime dans la joie humaine de l'âme glorifiée à cet instant [19].

La résurrection qui se produit le troisième jour n'est qu'un retentissement, dans le corps de Jésus, de la glorification qui avait eu lieu auparavant dans son âme. Ce qui est certain, c'est que la joie qui a explosé dans la communauté des disciples lors des rencontres avec le Christ ressuscité avait été précédée par la joie du Père. Le Père a été premier dans la joie comme il avait été premier dans la souffrance.

On doit donc admettre que le passage de la souffrance à la joie, si caractéristique du drame rédempteur et de l'expérience humaine, s'est d'abord réalisé en Dieu. La souffrance n'est pas l'état définitif de l'amour voué par le Père à l'humanité ; elle appartient au développement maximum de cet amour, mais elle n'est qu'une situation passagère, et elle aboutit à la joie.

Jésus avait annoncé à ses disciples la valeur per-

19. L'accent mis à juste titre sur l'événement de la Résurrection a souvent fait négliger la glorification spirituelle qui s'est produite en Jésus au moment de sa mort. Nous en avons traité plus longuement dans notre ouvrage *La Rédemption, mystère d'alliance,* 285-308.

manente de la joie qu'il leur apporterait par son triomphe glorieux : « Vous aussi, maintenant, vous êtes tristes ; mais je vous reverrai et votre cœur se réjouira, et votre joie, nul ne pourra vous la ravir » (Jn 16, 22). La permanence inébranlable de cette joie vient certes du Christ, mais elle a son origine dans le Père. Peut-être d'ailleurs une certaine évocation du Père se trouve-t-elle cachée dans la description de l'heure de tristesse, heure de la femme qui enfante (Jn 16, 21). La Passion n'est-elle pas pour le Père l'heure par excellence où il engendre une nouvelle humanité par le don douloureux de son Fils ? Cette génération s'accompagne d'une joie où « s'oublie » la douleur. Quoi qu'il en soit de cette évocation, la joie communiquée avec la résurrection de Jésus vient du Père. Elle vient du Père non seulement parce qu'elle est donnée par le Père, mais parce qu'elle s'est formée en premier lieu dans le Père. Le Père est un Dieu qui se réjouit plus encore qu'un Dieu qui souffre.

V

L'ACTUALITÉ
DE LA SOUFFRANCE DE DIEU

Le problème de la souffrance de Dieu pourrait sembler à certains un problème spéculatif destiné à exercer la subtilité des théologiens, mais dépourvu d'importance pour la foi et la vie chrétiennes. Pourquoi, serait-on tenté de dire, consacrer ses efforts à scruter ce qui se passe dans le secret de Dieu, lorsque bien d'autres problèmes, plus concrets et plus immédiats, sollicitent l'attention de l'homme et du chrétien d'aujourd'hui ?

En réalité, le problème, comme l'a observé Maritain, « touche l'essence même du christianisme »[1]. Il concerne en effet la conception de Dieu, le sens du péché et de l'œuvre rédemptrice, la valeur de la souffrance humaine. Sur ce dernier point on ne pourrait douter de l'intérêt que présente le problème pour l'existence humaine, vu la place qu'y occupe la souffrance et les questions qu'elle soulève nécessairement. Mais même en dehors de ce point, un problème qui

[1]. *Quelques réflexions, RT* 1969, 24.

intéresse si directement les rapports de Dieu avec
l'homme n'est pas simplement un problème abstrai
d'arguties théologiques ; il éclaire des aspects essen
tiels de la vie concrète et mérite un effort assidu d
réflexion.

A. Le problème actuel de la souffrance

En considérant le problème de la souffrance d
Dieu, nous avons eu en vue le drame du péché et d
la rédemption. Nous devons souligner maintenant so
incidence sur la souffrance actuelle de l'humanité.

Quelle est la position de Dieu à l'égard de cett
souffrance ? Deux tendances opposées se révèlent dan
la réponse à cette question.

L'une veut dégager la responsabilité de Dieu, e
attribuer simplement la souffrance soit au ma
commis par l'homme soit à des causes accidentelles
On dira que Dieu permet l'épreuve, d'une simple tolé
rance où n'est pas engagée la volonté divine. O
encore on ne se souciera pas de son rôle, et o
concentrera toute son attention sur la responsabilit
de l'homme, dans le but de faire cesser, autant qu
possible, les situations douloureuses.

Une autre tendance reconnaît à la souffrance l'ex
pression d'une volonté divine. Si l'on admet la sou
veraineté de Dieu sur le développement des vie
humaines et les événements qui les concernent, on n
peut guère exempter Dieu de toute responsabilité dan
les épreuves souvent si accablantes qui marquent un
existence. La difficulté consiste à préciser le rappor

de la volonté divine avec la liberté humaine, et surtout son intention fondamentale. Pour peu que cette intention soit mal interprétée, elle suscite des réactions de révolte. Dieu risque d'apparaître comme l'ennemi de l'homme.

Dans son roman intitulé *La Peste*, Albert Camus a présenté ce qu'il pensait être l'explication chrétienne de la souffrance. Sur les lèvres d'un prédicateur, le P. Paneloux, il met des paroles redoutables pour rendre compte du fléau qui atteint la population de la ville : « Mes frères, vous êtes dans le malheur, mes frères, vous l'avez voulu. » Le Dieu biblique, responsable de la peste en Egypte, est évoqué : « La première fois que ce fléau apparaît dans l'histoire, c'est pour frapper les ennemis de Dieu. Pharaon s'oppose aux desseins éternels, et la peste le fait alors tomber à genoux. Depuis le début de toute l'histoire, le fléau de Dieu met à ses pieds les orgueilleux et les aveugles. Méditez cela et tombez à genoux. » Le fléau opère le partage des justes et des méchants : « Les justes ne peuvent craindre cela, mais les méchants ont raison de trembler. » A la fin du sermon, le prédicateur laisse à ses auditeurs une espérance, en parlant de la « volonté divine qui, sans défaillance, transforme le mal en bien » ; mais cette « immense consolation » qu'il veut apporter ne supprime pas « les paroles qui châtient ».[2]

Quant à l'effet produit par ces paroles, « le prêtre rendit plus sensible à certains l'idée, vague jusque-là, qu'ils étaient condamnés, pour un crime inconnu,

2. *La Peste*, Paris 1947, 110-114.

à un emprisonnement inimaginable » [3]. Mais il faut surtout retenir la violente protestation du médecin, le docteur Rieux, porte-parole du romancier, qui à propos d'un petit enfant mort de la peste, dit au prédicateur : « Ah, celui-là, au moins, était innocent, vous le savez bien ! » [4]

On retrouve dans le roman le problème qui s'était déjà posé à la mentalité juive, imprégnée du principe de la souffrance-châtiment : la souffrance de l'innocent. Le sermon du P. Paneloux semble se reporter à l'époque de la religion juive où il était admis que la souffrance était la punition du péché ; on comprend qu'il suscite la contradiction, car il n'exprime pas la solution chrétienne du problème.

On comprend également que devant la présentation d'une volonté divine qui châtie les coupables par la douleur, certains réagissent en cherchant à mettre Dieu hors de cause, et en niant toute volonté divine dans l'origine de la souffrance, ou en réduisant cette volonté à n'être qu'une permission semblable à celle qui concerne le péché. Dieu se borne en effet à tolérer le péché ; il n'empêche pas l'homme de le commettre, puisqu'il lui a donné la liberté et ne peut plus la lui enlever. Il ne prend aucune responsabilité dans une décision qui demeure exclusivement celle de la créature. Pareille tolérance s'étendrait à la souffrance, de telle sorte qu'on ne puisse mettre Dieu en accusation pour les malheurs humains.

Cependant, les deux situations ne sont pas équivalentes. Dieu ne veut en aucune façon le péché ; il

3. *Ibid.*, 115.
4. *Ibid.*, 237·

s'efforce uniquement, en ce domaine, de faire ce que le prédicateur de *La Peste* lui attribuait dans le domaine de la souffrance : transformer le mal en bien ; c'est-à-dire qu'il cherche à susciter, chez le pécheur, une réaction qui, surgie de la faute elle-même, le conduise à la conversion. Dans le plan divin, le péché est l'occasion d'une grâce plus abondante, capable de mener le pécheur à une sainteté supérieure, selon le principe énoncé par saint Paul : « Là où le péché a abondé, la grâce a surabondé » (Rm 5, 20). Mais il reste que dans l'acte même du péché, Dieu ne peut exercer aucune influence dans le sens du mal : aucune volonté divine ne se trouve à l'origine de la faute.

Par contre, dans le cas de la souffrance, on ne peut affirmer l'absence d'une volonté divine. La meilleure démonstration nous en a été fournie par Jésus lui-même, lorsqu'il a reconnu dans le supplice du Calvaire la volonté du Père. « Non pas ce que je veux, mais ce que tu veux », a-t-il dit dans sa prière de Gethsémani (Mc 14, 36). Là d'ailleurs se situe le combat intime de Jésus : non pas proprement dans l'acceptation de la condamnation injuste prononcée par le Sanhédrin puis par Pilate, mais dans l'accueil de la volonté paternelle. En effet cet accueil réclame une adhésion intime à l'événement douloureux, du fait qu'à travers cet événement se manifeste l'amour du Père et s'accomplit le plan divin.

Cette volonté divine n'implique pas que le Père substitue son action à celle des hommes, ni qu'il cesse de respecter la liberté de ceux qui sont les causes humaines de l'événement. Caïphe et Pilate agissent en toute liberté, avec leur responsabilité personnelle. On doit même observer que Dieu ne veut en aucune manière leur décision, puisque celle-ci constitue une faute morale. Il se contente de tolérer leurs agissements, et ne leur enlève rien de leur maîtrise sur eux-mêmes. Mais il se sert de ce péché pour l'accomplissement du plan de salut ; les décisions peccamineuses fournissent l'occasion d'une souffrance et d'une mort qui formeront le sacrifice rédempteur. C'est proprement ce sacrifice qui est voulu par le Père.

Ce qui est vrai de la souffrance du Christ l'est également de la souffrance actuelle du chrétien, et plus généralement encore de la souffrance de tout homme, car toute souffrance humaine appartient au plan divin de rédemption et est destinée à associer l'homme au sacrifice du Sauveur [5]. Toute souffrance résulte à ce titre d'une volonté divine qui certes ne veut pas la souffrance pour la souffrance mais poursuit une finalité de rédemption. Cette volonté se sert des circonstances de tout genre, et même des fautes commises, pour mener la vie humaine par la voie de

5. C'est ce principe de l'appartenance de la souffrance humaine au plan de rédemption qui permet d'exclure toute souffrance-châtiment dans la vie terrestre. Les descriptions bibliques des châtiments sembleraient indiquer que certaines souffrances sont envoyées pour punir le péché, et c'est ainsi que G. Fourure, dans la conclusion de son étude, n'a pas exclu cette possibilité, tout en recommandant la prudence dans les jugements : « Les châtiments temporels sont possibles, mais bien des malheurs s'expliquent autrement » (*Les châtiments divins*, 362). En réalité, tous les textes bibliques doivent être compris selon le point de vue plus élevé du plan rédempteur, qui associe toute souffrance de la vie humaine terrestre au sacrifice du Christ. En prenant sur lui toute la charge du péché de l'humanité, le Sauveur a transformé le sens de la souffrance : la souffrance, qui aurait dû et aurait pu être la punition du péché, est devenue dans le Christ, et dans tous les hommes unis à sa Passion, une offrande rédemptrice.

la croix à un but plus élevé. Cette voie n'a jamais valeur punitive ; elle tend à l'édification d'un monde meilleur, où l'amour se déploie à l'extrême par la douleur et acquiert une fécondité de salut.

C'est d'ailleurs la volonté du Père que le chrétien est appelé, comme le Christ, à accepter au prix de luttes intérieures. S'il n'y avait pas de véritable volonté du Père, l'acceptation ne pourrait avoir ce sens essentiel. Elle est elle-même douloureuse, parce que la volonté divine demeure un mystère : même lorsqu'on a souligné la finalité rédemptrice de toute souffrance dans le plan divin, une obscurité continue à envelopper le sens de chaque souffrance concrète. Car, comme l'a dit Jésus à propos de la souffrance de la croix, il aurait été possible au Père d'épargner le calice à celui qui devait le boire [6]. Au sujet d'une épreuve individuelle, dans les circonstances où elle se produit, aucune explication satisfaisante aux yeux de la raison ne peut être donnée, et le dernier mot est l'admission du mystère. L'épreuve entre dans le plan rédempteur, mais on ne peut discerner avec évidence pourquoi elle devait se produire, ni pourquoi une autre voie n'aurait pas été possible. La seule certitude est celle de la finalité rédemptrice de la souffrance.

Cette certitude suffit-elle pour qu'on puisse dire, avec le P. Paneloux dans son dialogue avec le docteur Rieux : « Cela est révoltant, parce que cela dépasse

---

6. C'est ce qui apparaît davantage dans la version de Marc : « Père, tout t'est possible » (14, 36). Selon la remarque de V. Taylor (*The Gospel according to St. Mark*, London 1966, 553), cette version, où s'affirme la confiance de Jésus, semble plus originale que celle de Matthieu (« si c'est possible ») ou de Luc (« si tu veux »).

notre mesure. Mais peut-être devons-nous aimer ce
que nous ne pouvons pas comprendre ? » La réponse
du docteur mérite d'être mentionnée : « Non, mon
père. Je me fais une autre idée de l'amour. Et je
refuserai jusqu'à la mort d'aimer cette création où
des enfants sont torturés. »[7]

Si le mystère demeure, on n'a pas encore dit tout
ce qu'il est possible de dire, selon la révélation, sur
la souffrance humaine, lorsqu'on a parlé d'une volonté divine qui impose la souffrance à l'homme pour
son propre bien et celui de l'humanité. Malgré tout,
l'ombre d'une certaine dureté, voire d'une cruauté, de
la part de Dieu, ne se dissipe pas. Infliger à un autre
une douleur pour son propre bien paraît en effet, de
la part de celui qui l'inflige, une mesure facile à
prendre, qui ne lui coûte rien, et dont tout le poids
retombe sur autrui. Un père peut-il faire souffrir son
enfant avec une telle facilité ? C'est l'objection du
médecin de *La Peste*.

Pour y répondre, il n'y a qu'une seule voie : montrer que pour le Père, qui impose la souffrance, la disposition adoptée n'est pas celle de la facilité aux
dépens d'autrui. La douleur n'est pas, dans l'économie
de la Providence, la charge destinée à accabler simplement les autres, même pour un but supérieur. Elle
est un poids que le Père assume d'abord en lui-même.
Il en coûte au Père de mener ceux qu'il regarde comme
ses fils par la voie de l'épreuve. Comme pour le sacrifice du Calvaire, le Père inaugure le sacrifice en lui-
même, dans son cœur paternel, par une souffrance
intime qui demeure cachée aux yeux de tous. Lorsqu'il

7. *Ibid.*, 238.

met la douleur dans une vie humaine, il en a d'abord pris la charge dans son amour. Il est le premier à souffrir de ce que souffriront ses enfants. Il n'y a donc pas chez lui l'attitude de celui qui ferait porter par les autres ce qu'il refuserait de porter lui-même. La part de souffrance qu'il insère dans son plan sur une existence humaine, il l'éprouve lui-même dans son amour de Père : elle lui coûte bien plus à lui, Dieu, qu'elle ne coûte à l'homme auquel elle est destinée.

Si l'initiative de l'économie de la souffrance rédemptrice est pénible au Père, sa participation à toute souffrance humaine signifie qu'il n'est jamais indifférent aux épreuves qui atteignent ses enfants. Il est le premier à y compatir, dans la solidarité la plus intime, à l'exemple de ce qui s'est passé dans le drame du Calvaire. Ce n'est pas seulement une Pietà du Père qu'il faudrait représenter dans l'art chrétien, mais une multitude de Pietà, pour exprimer l'aspect invisible de l'existence douloureuse de ceux qui sont fils du Père dans le Christ.

La contemplation de la souffrance de Dieu éclaire l'homme sur la véritable position du Père dans le drame humain de la souffrance, et le porte à l'acceptation du mystère. Si le Père lui-même souffre, le visage de la souffrance est changé.

Trop souvent, les explications données au sujet du sens chrétien de la souffrance ont soigneusement omis toute considération de ce genre. Elles ont eu pour préoccupation de sauvegarder la transcendance et la toute-puissance de Dieu, mais elles n'ont pas su reconnaître son amour réellement compatissant, et elles ont donné l'impression d'un Dieu insensible ou même cruel, ou tout au moins d'un Dieu qui restait en dehors du jeu, qui se gardait de tout engagement dans le drame. Aussi longtemps qu'on n'ose pas parler de souffrance de Dieu, la souffrance de l'homme prend un aspect manifestement scandaleux, car elle paraît résulter d'un certain égoïsme divin qui réclame à l'homme la générosité d'un amour souffrant sans vouloir aller lui-même jusque-là.

La pensée que le Père compatit à chacune de nos souffrances est de nature à décourager toute réaction de refus et de révolte. Au fond, l'acceptation que le Père demande à l'homme devant l'épreuve, il l'a lui-même expérimentée dans un amour paternel qui aurait désiré épargner la douleur à ses enfants mais qui s'y est résigné dans un sacrifice secret qui prélude au leur.

Ainsi, loin de tracer aux hommes une voie douloureuse qui l'épargnerait lui-même, le Père prend sur lui toutes les souffrances de l'humanité. En lui confluent toutes les douleurs si multiples des hommes, de sorte que si l'on voulait avoir une vue d'ensemble de l'humanité souffrante, c'est en lui qu'on la trouverait. Sa compassion est universelle, et plus profonde que les souffrances auxquelles elle compatit. Il est toujours le premier atteint.

Si ceux qui souffrent pouvaient être davantage convaincus de cette vérité, ils accueilleraient plus volontiers leur souffrance. Ils saisiraient à quel point l'épreuve les met en communion avec le Père, et ils soupçonneraient que la charge qu'ils ont à porter n'est pas seulement celle que le Christ a portée sur sa croix, mais, plus mystérieusement encore, celle que le Père a voulu assumer au sein de son bonheur divin.

Concernant le problème de la souffrance, c'est le

dernier mot que nous puissions prononcer : le Père est le premier à souffrir de toutes nos souffrances, et il souffre avec nous. Il ne nous est pas possible d'aller au-delà de cette vérité, dans laquelle apparaissent l'origine de la souffrance et la communion la plus profonde d'amour où elle doit être vécue.

B. Eclairage d'autres problèmes actuels par la souffrance de Dieu

1 — LE PROBLEME ACTUEL DU MAL

La souffrance de Dieu met en lumière l'authentique gravité du péché. Cette gravité ne diminue pas dans un univers de rédemption, où le salut est offert par l'amour divin à l'humanité. L'intensité de l'amour rédempteur contribue à montrer la profondeur de l'offense.

Sans la considération de la souffrance de Dieu, la conception du péché pourrait rester anthropocentrique ou égocentrique. On ne regarderait que le tort fait à l'homme. Pour sortir de cet horizon anthropocentrique, il ne suffit pas en effet de discerner dans le péché la transgression de la loi divine par la volonté humaine. Cette transgression pourrait être appréciée simplement comme le malheur de l'homme, qui se rend incapable d'atteindre le but de la destinée qui lui a été assignée par Dieu et que la loi devait l'aider à poursuivre. On resterait ainsi emprisonné dans l'horizon du bien de l'homme : au fond, la faute

commise le serait essentiellement contre l'homme lui-
même.

Seule la vue de l'offense faite à Dieu peut arra-
cher l'homme à cet emprisonnement anthropocentrique, que favorise l'attitude même du péché. Cette vue
déplace le centre de l'attention. Elle stimule une
compréhension toute différente du péché, inspirée par
l'amour. La souffrance infligée au Père, au Fils et au
Saint-Esprit fait découvrir au pécheur la véritable portée de son geste, et l'invite à sortir du cercle de ses
préoccupations égoïstes.

Ce qui frappe celui qui réfléchit à la douleur de
l'offense, c'est la disproportion qui existe entre l'action humaine et son effet en Dieu. Provoquer une
tristesse dans l'amour infini de Dieu, c'est un résultat
qui transcende de loin les mesures humaines. Il fait
comprendre que le péché n'est jamais une petite
chose, quelles que soient les dispositions avec lesquelles il est commis. Il aide surtout à réaliser la force
de l'amour divin qui est extrêmement sensible à toutes
les attitudes humaines, et en subit la répercussion
en lui-même.

La légèreté avec laquelle les hommes sont tentés
de considérer le péché se heurte à la révélation de la
souffrance de Dieu, qui les éclaire sur leur responsabilité. La révélation de cette souffrance est en même
temps une révélation faite à l'homme de la propre
grandeur de ses décisions.

Elle seule peut amener l'homme à renverser la
conception qu'il se fait volontiers de ses rapports avec
Dieu, celle d'un sujet placé devant un souverain qui
lui impose sa volonté. Rien ne peut remplacer la
perception de l'amour par lequel Dieu s'expose à la

blessure faite par l'homme. Toutes les descriptions bibliques de la colère de Dieu ne valent pas celles de sa tristesse. Lorsqu'on voit quelqu'un qui a été offensé réagir par la colère, on comprend sa réaction et on en redoute les conséquences, mais on ne l'admire pas. Lorsqu'au contraire quelqu'un réagit à l'offense par la tristesse, on est ému pour lui et on admire que la douceur de son amour prévale sur une force qui aurait pu se traduire en violente réplique. Le Dieu affligé est plus capable de toucher le pécheur et de lui ouvrir la voie de la conversion.

2 — LE PROBLEME ACTUEL DE LA REDEMPTION

La souffrance de Dieu éclaire l'actualité du drame rédempteur. Le geste du Père qui n'a pas épargné son Fils mais l'a livré en sacrifice n'est pas simplement le geste d'un passé révolu. Il s'étend du Christ à toute l'humanité appelée à participer à sa filiation. Le Père n'épargne pas ceux qui sont ses fils ; mais cela signifie premièrement que lui-même se sacrifie dans son amour paternel.

Le geste illumine donc tout le développement de l'histoire humaine : l'expansion de l'Eglise qui ne peut élargir son emprise sur l'humanité que par la voie de l'épreuve et de la persécution, l'itinéraire de chaque vie humaine individuelle associée à la croix du Sauveur. Il ne s'agit jamais pour le Père d'un geste qui accablerait les autres et ne lui coûterait rien. Le Père éprouve ce qu'il fait vivre aux hommes. Il reste à ce titre le premier artisan de la rédemption telle qu'elle se poursuit dans l'humanité d'aujourd'hui ; il n'y

engage ceux qu'il regarde comme ses enfants dans
le Christ qu'en s'y engageant lui-même à fond.

Si saint Paul a pu dire : « l'amour du Christ nous
presse » (2 Co 5, 14), en mettant en lumière la force
entraînante de l'amour manifesté dans la Passion,
nous pourrions compléter cette pensée en affirmant
que l'amour du Père, révélé dans cet amour du Christ,
nous presse et nous appelle à la générosité rédemptrice. Le Père n'est pas simplement celui vers lequel
monte l'hommage des hommes et qui accueille leurs
offrandes : dans le progrès de l'œuvre rédemptrice qui
s'opère dans l'humanité, il est toujours celui qui
donne avant d'être celui qui reçoit.

Ce n'est pas seulement l'héroïsme autrefois manifesté par le Christ dans le supplice de la croix qui
pousse les chrétiens dans la voie du don d'eux-mêmes,
mais aussi la souffrance toujours actuelle de Dieu.
L'amour du Père qui cache sa douleur alors qu'il
pourrait la crier doit être pour eux un stimulant. Il
fait apparaître plus vivement l'urgence de l'activité
rédemptrice.

D'autre part, l'amour rédempteur du Père n'est
pas la proie de la souffrance : on ne peut oublier
le passage de la mort de Jésus à la résurrection, qui
signifie un passage de la tristesse à la joie. La souffrance passagère est enveloppée dans une joie définitive : il en résulte une conséquence fondamentale
pour la mentalité chrétienne. Cette mentalité serait
livrée à la tristesse si le regard devait se fixer simplement sur la souffrance de Dieu. Comme la joie de
Dieu domine la souffrance, la disposition normale du
chrétien consiste dans une joie foncière qu'aucune
souffrance ne peut effacer.

S'il doit compléter ce qui manque encore à la Passion du Christ dans sa chair pour achever sa mission rédemptrice au profit de l'Eglise (cf. Col 1, 24)[8], le chrétien vit cette souffrance en étant déjà possédé par le bonheur de la résurrection du Sauveur. « Je me réjouis dans mes souffrances pour vous », disait Paul. Ce bonheur est la réalité la plus fondamentale, car on ne peut participer efficacement à l'œuvre rédemptrice qu'en étant animé de la vie et de l'amour du Christ glorieux. Le mystère de la Passion ne peut entrer dans l'existence humaine que fondé sur celui de la Résurrection.

Si nous recherchons l'origine de cette priorité de la Résurrection, nous la trouvons dans l'intention du

8.   La traduction la plus habituelle de Col 1, 24 suscite une difficulté doctrinale : « Je complète dans ma chair ce qui manque aux épreuves du Christ. » En effet, il ne manque rien aux épreuves du Christ, et sa Passion, absolument suffisante en elle-même, n'a nul besoin d'être complétée. Aussi certains ont-ils tenté de résoudre la difficulté en donnant au verbe grec traduit « compléter » le sens de « compenser » : compenser les souffrances par les richesses spirituelles de l'apostolat (G. LE GRELLE, *La plénitude la parole dans la pauvreté de la chair, d'après Col I, 24*, NRT 8 (1959) 232-250) ou par la joie (C. LAVERGNE, *La joie de saint Paul d'après Colossiens I, 24* RT 68 (1968) 419-433). Mais cette compensation ne paraît pas suffisamment indiquée par le texte, et la difficulté disparaît lorsqu'on adopte une traduction plus fidèle aux paroles de Paul : « je complète ce qui manque aux épreuves du Christ en ma chair ». « En ma chair » se rapporte aux « épreuves du Christ ». A la Passion du Christ, regardée en elle-même, il ne manque rien ; mais aux épreuves du Christ telles qu'elles s'accomplissent dans la chair de Paul, il manque encore quelque chose. Paul complétera jusqu'à sa mort ce qui manque à ces épreuves dans sa chair. Cela signifie que chaque chrétien doit vivre dans sa chair la Passion du Christ, et qu'il ne doit cesser de compléter ce qui manque à l'accomplissement de cette Passion en son existence.

Père, dans la joie de son amour rédempteur, disposition plus fondamentale que la souffrance. L'amour
du Père est bonheur avant d'être souffrance, et lorsque survient l'épreuve, le bonheur persiste et triomphe.

Dès lors, même dans la douleur, le chrétien reçoit
du Père par le Christ ressuscité communication d'un
bonheur profond : sa situation n'est jamais une situation exclusivement douloureuse ; elle ne peut être pri-
vée de la joie qui, chez le Père, accompagne inséparablement l'amour.

La prévalence de la joie correspond à la victoire
de la grâce sur le péché, victoire qui ne cesse de
s'actualiser dans la vie de l'humanité. Si les hommes
continuent à commettre le péché et à offenser Dieu
dans l'univers de rédemption, l'emprise de la grâce
sur leur existence est néanmoins plus puissante, et
les entraîne dans la voie de l'amour. C'est ainsi qu'ils
plaisent plus au Père qu'ils ne lui déplaisent. Ils lui
donnent plus de joie que de tristesse.

Aussi la vérité requiert-elle de considérer la joie
de Dieu plus que sa souffrance. Déjà Jésus avait
montré le triomphe, en Dieu même, de la joie sur la
souffrance, lorsqu'il avait évoqué le drame du péché
et de la réconciliation : nous avons observé, à propos
des paraboles de la brebis égarée, de la drachme
perdue et du fils prodigue, que seule la joie est mentionnée, en laissant dans l'ombre la tristesse qui l'avait
précédée. Cette joie est dépeinte dans son explosion
débordante, sous des traits de joie humaine qui visent
à souligner l'intensité qu'elle doit revêtir en Dieu. A
méditer sur le festin organisé pour le retour du fils
prodigue, on serait amené à conclure qu'il doit y avoir

au ciel une fête sans cesse renouvelée pour les retours des pécheurs, si nombreux dans le monde.

Si toute faute attriste le Père, tout repentir le réjouit, ainsi que toute disposition ou toute action orientée dans le sens de l'amour. Non seulement la croissance de l'Eglise est une joie pour les personnes divines, mais chaque existence humaine est destinée à leur apporter de multiples joies, humbles joies, pourrait-on dire, mais qui prennent néanmoins en Dieu une grandeur divine. La vie actuelle de l'humanité ne peut être appréciée correctement qu'à la lumière de cette immense joie qu'elle offre continuellement au Père. Il s'agit d'une vérité trop souvent négligée. Les sombres tableaux qui ont été faits des mœurs humaines jugées décadentes à toutes les époques de l'histoire ont méconnu le principe essentiel qui domine l'évolution de l'humanité à travers ces époques, celui de la victoire de la grâce sur le péché. Ils ne pouvaient donc que provoquer une impression de tristesse plutôt que de joie, alors qu'en réalité, grâce à cette victoire, l'humanité cause à Dieu beaucoup plus de joie que de tristesse.

3 — LE PROBLEME ACTUEL DE DIEU

Maritain n'a pas hésité à dire qu'à son avis, le problème de la souffrance de Dieu « est, avec toutes ses épines, au fond le plus obscur de l'immense trouble dont souffre le monde aujourd'hui »[9].

---

9. *Quelques réflexions*, RT 1969, **24**.

Il parle des chrétiens qui, face au spectacle du mal qu'offre le monde, pensent à Dieu non comme à un Père mais « comme à un Empereur, un Potentat-Dramaturge qui serait lui-même, par des permis de faillir qui *précéderaient* nos défaillances et où d'avance il abandonnerait la créature à elle-même, le premier auteur de tous les péchés du monde et de toute sa misère, et qui se plairait au spectacle ainsi fixé par lui du déroulement d'une histoire humaine où le mal abonde abominablement. C'est cette idée absurde et intolérable du Potentat-Dramaturge insensible dans son ciel au mal des personnages auxquels il fait jouer sa pièce de théâtre qui est cachée au fond de la révolte contre Dieu d'une grande masse de non-chrétiens... Si les gens savaient que Dieu « souffre » avec nous et beaucoup plus que nous de tout le mal qui ravage la terre, bien des choses changeraient sans doute, et bien des âmes seraient libérées. » [10]

Nous avons eu l'occasion de mentionner une réaction contre l'idée d'un Dieu Potentat insensible à la souffrance humaine, celle du romancier Camus : le rejet de Dieu est motivé chez lui par l'impossibilité de concilier son existence avec les douleurs du monde. Le récit de *La Peste* a été rédigé « pour témoigner en faveur de ces pestiférés, pour laisser du moins un souvenir de l'injustice et de la violence qui leur avaient été faites... » [11] Contre qui cette protestation est-elle dirigée, sinon contre Dieu ? Dieu est présenté dans le roman comme auteur d'une souffrance à laquelle il n'a aucune part et qui, étant infligée à des ennemis,

10. *Ibid.*, 25.
11. *La Peste*, 331.

le fait lui-même apparaître comme ennemi de l'humanité.

Que la conception de Dieu fasse problème, nous en avons eu un signe particulièrement net dans le mouvement théologique de la mort de Dieu. Ce mouvement a perdu actuellement la vogue dont il avait joui initialement ; son radicalisme même, qui l'amenait à constater ou à professer la mort du Dieu transcendant, a suscité un recul chez beaucoup. Mais il importe au moins de retenir de ce mouvement la difficulté que cause à un grand nombre une certaine idée de la transcendance de Dieu, proposée par la théologie classique, avec la nécessité de vérifier d'après l'Ecriture cette idée influencée par la philosophie aristotélicienne.

Le Dieu transcendant a été trop fréquemment conçu comme un Dieu privé d'affectivité, un Dieu sans « passions ». Ces « passions » étaient tenues pour incompatibles avec l'indépendance souveraine de Dieu, qui ne peut rien « souffrir », et avec sa totale immutabilité : l'affectivité exercée dans les rapports avec les hommes aurait impliqué une certaine mutabilité, des variations dans les dispositions intimes. Le principe de la transcendance, compris de façon trop étroite et indépendamment de l'ensemble du donné scripturaire, empêchait d'accepter un élément authentique de la révélation de Dieu.

Un Dieu sans affectivité, incapable de connaître dans ses relations avec les hommes les réactions de tristesse et de joie selon leur comportement, est si éloigné du Dieu de la Bible, et du Père révélé par Jésus ! C'est un Dieu où l'on ne parvient plus à reconnaître le véritable amour : un Dieu froid, dont on se borne à répéter qu'il est absolument impassible, et par conséquent inaccessible et insensible aux attitudes humaines prises à son égard.

C'est surtout dans le problème de la souffrance que cette conception de Dieu, nous l'avons observé, provoque la révolte de l'homme. Un Dieu qui n'est pas réellement compatissant, un Dieu qui ne souffre pas et qui impose aux hommes une charge à laquelle lui-même se soustrait systématiquement ou dont il ne peut faire l'expérience est un Dieu qui ne peut répondre aux besoins du cœur humain ni apaiser les revendications légitimes de l'esprit humain. En réalité, ces besoins et ces revendications sont inspirés par une économie de grâce où la miséricorde divine joue un rôle capital.

La Passion et la compassion du Fils de Dieu sont trop présentes au centre de la Révélation pour pouvoir être reléguées dans l'ombre. Ce sont elles qui ont donné à l'humanité l'image visible du Dieu invisible. Cette image est celle d'un Dieu qui, le premier, souffre dans le sacrifice rédempteur, et qui compatit à la douleur d'autrui.

La transcendance divine ne peut être comprise en dehors de ce contexte. Elle ne prend tout son sens que dans la compassion elle-même, car c'est par elle que Dieu manifeste la supériorité absolue de son amour. Sans cette compassion, la transcendance, loin de se faire accepter par l'homme, provoquerait son éloignement.

Si les liens qui se sont établis entre Dieu et l'homme sont ceux de l'amour, le vrai Dieu ne peut être que celui qui dans son amour souffre pour l'homme et avec lui. Si ce Dieu est Père, il ne l'est authentiquement à l'égard des hommes que s'il leur témoigne la sympathie profonde qu'éprouve un père humain pour les douleurs et les joies de son enfant. Pour le Fils incarné, la sympathie à l'égard des hommes s'est suffisamment exprimée à travers l'Evangile. Quant à l'Esprit Saint, s'il est, selon la théologie, l'amour du Père et du Fils, on comprendrait difficilement que dans les rapports intimes qu'il noue avec les hommes il n'apporte pas toute la chaleur d'une sympathie divine.

Seule cette conception de Dieu qui est capable de souffrir et qui souffre vérifie ce qui est dit de Dieu dans l'Ecriture et présente le visage du Dieu qui est amour.

Abréviations

ACO	*Acta Conciliorum Œcumenicorum.*
Bi	*Biblica.*
CCL	*Corpus christianorum, series latina.*
CSCO	*Corpus scriptorum christianorum orientalium.*
CSEL	*Corpus scriptorum ecclesiasticorum latinorum.*
DBS	*Dictionnaire de la Bible — Supplément.*
DS	H. DENZINGER — A. SCHÖNMETZER, *Enchiridion Symbolorum,* éd. 32, 1963.
DTC	*Dictionnaire de théologie catholique.*
NRT	*Nouvelle Revue Théologique.*
NT	*Novum Testamentum.*
PG	*Patrologia graeca.*
PL	*Patrologia latina.*
RSR	*Recherches de Science Religieuse.*
RT	*Revue Thomiste.*
SC	*Sources chrétiennes.*
TWNT	*Theologisches Wörterbuch zum Neuen Testament.*

TABLE DES MATIÈRES

ACHEVÉ D'IMPRIMER LE 19 NOVEMBRE 1976 SUR LES PRESSES DE
L'IMPRIMERIE CARLO DESCAMPS A CONDÉ-SUR-L'ESCAUT

DL. 4e trimestre 1976. N° éd. 1681.